Marie Curie

拝啓キュリー先生

マリー・キュリーとラジウム研究所の女性たち

川島慶子

ドメス出版

拝啓キュリー先生——マリー・キュリーとラジウム研究所の女性たち　目次

はじめに……7
マリー・キュリーってどんな人?／ポーランドからフランスへ／キュリー夫妻の大発見／悲願のラジウム研究所

第一章　「キュリー先生」とよばれる——女子高等師範学校初の女性教授……17
セーヴルの女性教授第一号／ウージェニィ・フェイティス・コットン——未来の女性校長／キュリー先生の家族と女学生たち／先生は女性国家理学博士／キュリー先生、大学教授になる／彼女たちの進路
■コラム1　放射能研究のあけぼの——ベクレルとマリー・キュリー　32
■コラム2　ポロニウムとラジウムの発見——キュリー「夫妻」の共同研究　37

第二章　フランス初の女性大学教授——科学者を育てる女性……43
キュリー研究室の始まり／エレン・グレディッチ——肝っ玉姉さんの一番弟子／仲良し三人組の誕生／科学者として母国で働くということ／「留学経験のある女性研究者」への特殊なまなざし／ハリエット・ブルックス——カナダのキュリー夫人／女性研究者に対する偏見／「先生の家」では何が起きるのか／仕事と家庭の狭間で選んだ道／キュリー夫人に対する過度な称賛の意味するもの／多彩な女弟子たち——公爵夫人から母国の同胞まで

■コラム3　放射能研究の広がり――ラザフォードと放射線の正体　67

第三章　研究所が完成したのに――第一次世界大戦の衝撃　73
戦争が始まった！／赤十字に叙勲された女弟子／二人のフランス女性／戦争の英雄――イレーヌの愛国心とプライド

第四章　ラジウム研究所（1）――新しい時代の科学研究室　85
イレーヌ・キュリー――常識知らずの「母の娘」／科学にも夫にも愛された人生／もう一人のポーランド女性／弟子にして孫弟子――エレン・グレディッチの女弟子／影の騎士「アンドレ」／ラジウム研究所のもう一つの支え

■コラム4　放射能研究から原子の中に――原子の構造を探る　104

第五章　キュリー夫人、アメリカを征服する　107
あるアメリカ人女性ジャーナリストの提案／キュリー夫人、移民の国アメリカに到着／キュリー先生、アメリカの女子大学を訪問する／スカーレット・オハラとキュリー夫人

第六章　ラジウム研究所(2)――世界からパリへ……121
狂乱の時代の冷静な科学研究所／文理両道だったラジウム研究所の主／音楽と科学を愛する兄妹／アカデミーに認められた女性／技官から科学者になる／女性の新しい職業／ナチスのユダヤ人迫害と女弟子たち／原爆製造への協力／もう一人のユダヤ人女弟子／ノーベル賞を逃す／母国で女性第一号に――ウクライナ初の女性大学教授／東ヨーロッパの複雑な政治情勢／オランダの女性第一号／ポルトガルの女性第一号／お料理とお裁縫とお掃除と――「兼業主婦」マリーの告白／「家庭科」教育の変遷／いろいろな女弟子たち／ルパンとラジウム／女性の「運命」――美しき公爵令嬢の「自由」とは何か／女性の職業選択
■コラム5　中性子と人工放射能――ジョリオ＝キュリー夫妻の失敗と成功　157
第七章　「キュリー先生」と三人の日本人……163
山田延男と小野田忠／ナンバースクールを出ていない秀才たち／科学者と実業家の指導者として／フランスの先生、フランスの先輩たち、姑、妻という女性教育者・研究者に囲まれて／湯浅年子――日本が誇る「キュリー先生」の女孫弟子／おかしな「共学」生活／男子留学生と女子留学生の「差」が物語るもの／コレージュ・ド・フランスに属して／フランス国家理学博士号を目指して／日本人女子留学生はなぜ「純粋」だったのか／敗戦の祖国で見たものは／欲しいのはただ、魂の「自由」だけ／いまひとたびのパリを／ジョリオ先生の完璧な招聘状／フランスと日本の狭間で／湯浅年子はなぜ帰国しなかったのか／パリに生き、パリに死す
■コラム6　原子を壊した実験――原子力の時代へ　202

第八章　異色の「女弟子」——エーヴ・キュリー・ラブイス……209
科学者にならなかった「母の娘」／母はいかにして子どもの才能を応援したのか／絶世の美女の孤独／伊勢海老事件の顚末／戦時ジャーナリストとして生きる／二人の「戦士」を育てた母が得たもの

おわりに……223
キュリー先生の女弟子／科学における男と女のキャリアの差／ロール・モデルとしてのキュリー母娘の意味／シスターフッドと「ブラザー」たちの協力／日本人男子留学生にとってのキュリー先生——祖国愛への共感／キュリー先生が女性たちに残したもの

あとがき　235

マリー・キュリー関連年譜　240
参考文献　261
人名索引　267

装幀　市川美野里

凡例

●登場人物には初出のところに生没年代を記した。ただし、本文とコラムは別々に読まれることも考慮して、それぞれ独立に生没年代を記した。また、生没年代を確認できなかった人物に関しては、何も記さなかった。

●引用文には出典を示したが、簡素化のために以下のようにした。同じ年にその著者の出版物が複数ある場合にのみ、作品のタイトルを示した。作品はすべて参考文献に記載。

・「引用文」(作者、発表年、ページ数)

●引用文に翻訳がある場合、基本的には翻訳のページ数を示した。翻訳があっても原典を示している場合は、その和文は川島による翻訳である。また、引用文中の〔 〕は、川島による補足である。

●複合姓の記載方法については以下のようにした。ジョリオ=キュリー夫妻のように、正式名が複合姓の場合は「=」で二つの苗字をつなぎ、ウージェニィ・フェイティス・コットンのように、妻が結婚後に複合姓になることもある場合は「・」でつないである。

●ジョリオ=キュリー夫妻の場合、本人たちが日常生活ではジョリオ夫人、ジョリオ氏と名乗り、科学論文の発表ではイレーヌ・キュリー、フレデリック・ジョリオと署名していたことから、この二人については結婚後でも、場合によって苗字を使い分けている。

はじめに

マリー・キュリーってどんな人?

キュリー夫人ことマリー・キュリー（一八六七―一九三四）の一般的イメージとはどんなものでしょうか。子どもの伝記シリーズには必ず出てくる人物で、多分女性偉人のナンバーワンと言っていいでしょう。ラジウムの発見者で女性初のノーベル賞受賞者という話なら、多くの人が知っているでしょう。もう少し詳しい人なら、マリーがロシア帝国に占領されていたポーランドの出身で、フランス人の夫のピエール（一八五九―一九〇六）と共同でラジウムを発見しながらも、その夫を交通事故で亡くしたという悲しい話も知っているでしょう。もっと進んで、ピエールの死後の、二度目のノーベル賞発表の最中に騒がれた、後輩科学者ポール・ランジュヴァン（一八七二―一九四六）との不倫疑惑事件、いわゆるランジュヴァン事件*についても知っている、という人もいるかもしれません。

しかしじつは、こうした派手なエピソードは皆、科学者としてのマリー・キュリーの前半生に起きたことで、四〇年余りの科学者キャリアの後半生については、フランスでもポーランドでもあまり知られていません。マリーは最後まで引退しませんでした。ですから六六歳で亡くなるまで現役の科学者であり、かつラジウム研究所という最先端の科学研究所の所長で、フランスの名門ソルボンヌ大学の教授でもありました。つまり、マリーは自身の研究を続けながら、後進の指導にも当たっていた、「研究者」兼「先生」でした。

科学者といえば、エムリングというマリーの伝記作者が、マリー・キュリーは「アインシュタインを除けば、歴史上もっとも有名な科学者」と形容しています。実人生では、この二人は仲良しでお互いを尊重し合っていましたが、「先生」という面から見れば正反対のタイプでした。相対性理論をはじめとしたアルベルト・アインシュタイン（一八七九―一九五五）の業績はたった一人の仕事であり、ほかの人間に参加の機会を与えない研究スタイルが生んだ発見です。こういう人は崇拝されますが、いわゆる弟子ができません。佐藤文隆という有名な科学者が、アインシュタインが来日した時のことを書いた本の中で「百年前から見れば百倍に増えた物理学者が生きていける研究スタイルを生み出したのは、〔超有名なアインシュタインではなく、一般にはそこまで知られていない〕ボーアであった」（佐藤文隆「解説」アインシュタイン、二〇〇一、一五三頁）と述べていますが、私はこのニールス・ボーア（一八五五―一九六二）のケースは、先生としてのマリー・キュリーにも当てはまると思います。しかもボーアと違って、彼女にはアインシュタインと並ぶ一般的名声もあるのですから、マリー・キュリーは「アインシュタイン＋ボーア」の特徴を持つ稀有な科学者とも言えるでしょう。

マリーは、ラジウムの発見とノーベル賞の受賞で、女性科学者という存在を世界に知らしめました。同時に彼女は、研究所の所長かつ大学教授であることで、女性科学者が生きていける、つまりそのお給料で生活しながら研究してゆくスタイルを打ち立て、それを女性の職業の選択肢として社会に広めたのです。ラジウム研究所所長であるマリーのところには、世界中から「拝啓、キュリー先生」で始まる、研究希望の若者からの手紙が届きました。そしてそのうちの少なからぬ手紙は、ここでならば性差別を受けずに研究できるに違いないと信じた女性たちからのものでした。マリーはこうした希望にどう応え、弟子たちはこの研究所で何を学びとったのでしょう。この本では、そうした「先生」としてのマリー・キュリーの姿と、彼女を師と仰いだ弟子たち、特に女性の弟子たちの足跡を追っていきたいと思います。

まずはマリー・キュリーに詳しくない人のために、彼女が「先生」になって研究室を構えるまでの道のりを簡単に見てゆきましょう。もう知っているという人は抜かしても構いません。どうぞ第一章の「『キュリー先生』とよばれる」からお読みください。また本書では、放射能研究の誕生と発展については、コラムという形で章末にまとめています。順番に読んでも構いませんし、本文だけ先に読んで、コラムは別途まとめて読んでもわかるようになっています。ご自分の興味に合わせて、好きな順番でお読みください。

ポーランドからフランスへ

先にも書きましたが、マリー・キュリーの出身地はポーランドです。キュリーという苗字も、もともとのものではありません。彼女の出生時の名前はマリア・スクォドフスカ。一八六七年、ロシア帝国に占領されていたポーランドのワルシャワに生まれました。このころのポーランドは、ロシア、オーストリア、ドイツ（一八七一年まではプロイセン王国）の三大帝国に分割支配されており、ワルシャワはロシアの領土になっていたのです。マリアは教師夫妻の娘であり、大変成績の良い子どもでしたが、この時代のポーランドでは女子が大学に進学することができませんでした。それが可能なのは当時の先進国、フランスやイギリスなど、ヨーロッパでも一部の国だけでした。しかもロシア帝国にしっぽを振らないマリアの家には、五人の子ども全員を大学に行かせるだけのお金がありませんでした。

ここにさらなる不幸がこの家を襲います。母が結核になり、その母を支えていた長女のゾーシャがチフスで斃れ、娘の死の打撃から立ち直れないまま、母もまもなく世を去ってしまったのです。こうしてマリーは一〇歳で母のない子になりました。父はなんとかして残された四人の子どもの教育を全うしようと努めます。よほどお金のことであせっていたのでしょう。あやしい投資に手を出してしまい、なけなしの財産まで失ってしまいます。兄は男でしたから、なんとか徒歩で行けるワルシャワ大学に進学できました。しかし医者になりたい姉のブローニャ（一八六五―一九三九）と、物理の教師になりたいマリアにはお金のかかる留学が必要です。マリアはブローニャと約束を交わします。ブローニャが先にパリのソルボンヌ大学に行き、マリアは住み込みの家庭教師などのアルバイトをしてパリに学資を送ります。そしてブローニャが医者になったら、こんどはマリアの学資を支援するというものでした。

ここで一つだけ注意をしておきますと、マリアたちのこうした向学心は、当時のポーランド人にとっては個人的な問題ではありませんでした。分割支配されていたポーランド人は独立を望んでいました。度重なる革命は失敗し、あまたの血が流されました。そんな中で、フランス生まれの実証主義がポーランド独自の発展を遂げます。ポーランド知識人は、女子教育までを視野に入れた人材育成の必要性を訴えます。教育による人材育成もまた、革命と同じく独立に必要な要素だと彼らは考えたのです。マリアも姉もポーランド実証主義者でした。社会の役に立つ学問を修め、それを後輩にも伝えていくことは、武力革命に負けず劣らず重要なことだったのです。ですから、確かにスクォドフスキ家[**]は特に教育熱心な家ではありましたが、周囲から浮いているわけではありませんでした。知において支配者たちに勝ることは、虐げられた民族の復讐でもあったからです。私たちはその帰結の一つを、のちにマリアの発見の中に、またアメリカ旅行の中に見ることになるでしょう。

こうして一八九一年、二三歳の時に姉との約束が果たされ、ソルボンヌ大学理学部の学生となったマリアは、フランス風にマリーと名乗ることにしました。この優秀な女子学生を見染めたのが、当時パリ市立物理化学学校の教員だった物理学者ピエール・キュリーでした。帰国後は祖国の独立と女子教育にその人生を捧げようとしていた愛国女性マリーを、ピエールは必死に口説き落とします。科学研究による業績達成もまた、祖国ポーランドのためになると説得したのです。

マリー・キュリー　1913年
〈所蔵：Musée Curie（coll. ACJC）〉

これは単なる口説きの口実ではありません。すでに国際的に注目される発見をしていたピエールは、マリーの中に自分と同じレベルの科学的才能を認めていたのです。こうして一八九五年、二人は結婚してマリーはフランス人の「キュリー夫人」となります。というのも、当時はフランス人男性と結婚した外国人女性は自動的にフランス国籍になり、もともとの国籍は消滅したからです。

キュリー夫妻の大発見

　ピエールの目は確かでした。キュリー夫妻は大発見をします。一八九六年にやはりフランス人物理学者のアンリ・ベクレル（一八五二―一九〇八）が、ウラン元素の中に見つけた謎の放射線の性質を、夫妻はさらに詳しく分析し、ウラン鉱石の一つであるピッチブレンドという石の中から、強力な放射線を発する二つの新元素を発見したのでした。マリーはこれをポロニウム、ラジウムと名付けます。ちなみにラジウムという名前は「光線」や「放射」を意味するラテン語からの造語で、いわゆるラジオなどと同じ語源です。しかしポロニウムという名は科学とは何の関係もなく、ポーランドという国名からの造語です。そしてこちらの方が先にその存在が確認された新元素なのです。最初はラジウムの方がおまけだったのです。マリーはこの命名によって、征服者ロシアに、そして祖国の同胞に宣言したのです。ポーランド人、ここにあり、と。

　けれどもすぐにラジウムの方が有名になりました。こちらの方が取り出しやすく、医療や産業に使える可能性があったからです。これは純粋科学の業績であるだけでなく、「役に立つ」発見として社会に歓迎されました。社会改良を旨としたポーランド実証主義者マリーにとっては、特に誇らしい業績でした。こうしてキュリー夫妻はベクレルとともに、一九〇三年に第三回ノーベル物理学賞を受賞します。マリーは女性で初めてのノーベル賞受賞者でした。ピエールはそのノーベル賞講演の中で、ラジウムが「皮膚結核、癌、神経病」に効くと言っています。こうした有用性からも、あるいはこの発見が「物質とは何か」についてさらなる解明をもたらすという可能性からも、放射能のための特別な研究所の必要性を唱える人が出てきます。

ピエール・キュリー　1905 年
〈所蔵：Musée Curie（coll. ACJC）〉

じつはもう長い間、ピエールは実験設備の整った研究室を切望していました。というのも、ピエールはマリーと出会う前から磁性について画期的な発見をして、狭い仲間内では国際的な名声を得ている有能な中堅科学者でした。ところが、肝心のフランス国内では出世が遅く、研究環境ははなはださえない状態だったからです。ピエールは変人科学者だったというだけでなく、学歴もずいぶん変わっていました。大人しいけれど、頑固で変わり者の子どもだったピエールは、徹底的な共和主義者だった父ウジェーヌ・キュリー（一八二七―一九一〇）の影響で、小学校から高校までの勉強を家で学ぶことになり、一六歳でいきなりバカロレア（大学入学資格試験）を受けてソルボンヌ大学理学部に入りました。科学を集中的にやるにはこの方法は便利でしたが、この教育ルートでは、当時のフランスの超エリート校であるグラン・ゼコールに入学できません。そしてフランスの学会は、グラン・ゼコール出身者の学閥が牛耳っていました。ピエールは、その優秀さにもかかわらず、フランスの学界では「よその人」だったのです。外国出身女性のマリーの境遇はもちろん「もっとよその人」です。まだラジウムの発見がなされていない段階で、政府がこんな夫妻に、ちゃんとした実験室をくれるはずがありません。そして、ノーベル賞ですら、なかなかこの夫妻にまともな実験室をもたらしてはくれませんでした。

マリーは一九〇三年のノーベル賞受賞時点で何の職についていたかというと、パリ近郊のセーヴル女子高等師範学校の物理教授でした。女性初の師範学校教諭ではありましたが、この学校にはまともな実験室などなく、夫妻の放射能の実験はすべて、ピエールの勤め先であるパリ市立物理化学学校校庭のボロ小屋を改装した実験室で行われていました。つまり、ノーベル賞以前のピエールの政治力では、ボロ小屋の使用許可を手に入れることしかできなかったのです。

悲願のラジウム研究所

フランス国家はノーベル賞夫妻に、地位こそ提供しましたが場所はくれませんでした。どういうことかというと、ピエールは出世して「放射能講座」担当のソルボンヌ大学教授になり、マリーは夫の研究室の実験主任に任命されましたが、二人が使うことができたのは、その少し前にピエールに許可された二部屋だけの狭い実験室でした。勲章よりも設備の整った研究室を、というピエールの願いはかなえられず、彼は一九〇六年、馬車に轢かれてこの世を去ります。寡婦になったマリーは三八歳。八歳と二歳の娘を抱えた彼女は夫の後を継ぎ、この年の五月にソルボンヌ大学でフランス史上初めての女性教員になります。それでも実験室はそのままでした。この狭い二部屋で、マリーは「指導教員」としてのキャリアを始めます。すでに世界的名声を得ていましたから、外国からも、いやむしろ外国からこそ「キュリー先生の研究室に入りたいです」という手紙が届き始めていました。マリーはなるべく多くの研究者の望みをかなえたいと思うのですが、なにせ手狭で、申し込みのすべてを受け入れることなどできません。

こんな「キュリー先生」に救いの手が差し伸べられたのは一九〇九年のことです。救い主は、医学研究で有名なパスツール研究所でした。医療と関連していたラジウムの名声は、癌と闘うフランスの医者たちを動かし、医学研究も行う放射能のための研究所、その名もラジウム研究所をパスツール研究所の敷地内に作ろうという話が出てきたのです。マリーは喜びます。ピエールの遺志がついにかなえられるのです。ここにソルボンヌ大学が口をはさんできました。今になって、大学は自分のところのマリー・キュリー教授の価値に気づいたのです。パスツール研究所にとられてしまったら大学の恥です。こうして二つの組織の折衝の末、ソルボンヌ大学の敷地内に、物理と化学の基礎研究をする部門と、医学と生物学の研究および治療をする部門を持つラジウム研究所の設立が決まります。前者を運営するのはソルボンヌ大学、後者がパスツール研究所です。もちろん前者のトップはマリー・キュリーその人。後者はパスツール研究所の医師、クローディウス・ルゴー（一八七〇—一九四〇）でした。

ですから正確に言うなら、マリーはラジウム研究所全体の所長ではありません。そういうポストは存在せず、ここには二人のトップがいて、マリーはラジウム研究所の中の基礎研究部、その名もキュリー館（このキュリーはマリーのことではなく、ピエールを記念したキュリーです）という建物のある部署のトップなのです。しかし、これではわかりにくくなるので、この本ではラジウム研究所で統一し、区別する必要がある時だけ、そのことを書くことにします。こうして一九一四年七月、被占領国ポーランドから出てきた一人の女性が、フランスの最先端の科学研究所、そして世界でも有数の放射能研究所の所長となり、多くの科学者の指導者となったのです。

＊ランジュヴァン事件とは、一九一一年の秋に、寡婦だったマリー・キュリーが、ピエールの弟子だった物理学者、妻子あるポール・ランジュヴァンと不倫関係にあるとして、マスコミに騒がれた事件。ランジュヴァンの妻が夫に対して裁判を起こしたのと、マリーにとっての二度目のノーベル賞がこの事件の渦中で授与されたことから、世間を二分する大騒ぎになった。結局裁判所はランジュヴァン夫妻の別居を認め、マリーとポールも別れることになり、マスコミの反応も下火になって終わった。

＊＊ロシアやポーランド、ウクライナ語の姓は男性形と女性形で語尾変化する。女性の姓は主に男性形の語尾にaが付く。つまり、ドストエフスキーの妻の苗字はドストエフスカヤである。中にはノヴァックなど、男女同型の苗字もあるが、多くの場合男女で語尾が異なる。ただ、「家」をつけて一つで代表させる場合は、男性形を使う。つまり本文のようにスクォドフスキ家と記載する。

第一章

「キュリー先生」とよばれる——女子高等師範学校初の女性教授

ほかの女性に対する何という大きな手本を、励ましを、マリー・キュリーは今ここに与えたことだろうか！

（コットン、一九六四、五七頁）

セーヴルの女性教授第一号

これはウージェニィ・フェイティス・コットン（一八八一―一九六七）というマリーの教え子の一女子学生が、「放射能の発見」でのマリーの博士論文口頭試問の場を見学した時の感想です。自分たちと同性の先生が、フランスを代表する男性科学者たちの質問に堂々と答える姿を見ての、心の底からの感動を表現したものです。

この章では、まずはマリー・キュリーが最初に「先生」と呼ばれた学校の話から始めたいと思います。それは先の女学生ウージェニィの母校、セーヴル女子高等師範学校です。マリーは新婚一年目の一八九六年に、女子中等教育資格試験を受けて、一番の成績で合格しました。しかしすぐに就職したのではなく、放射能の研究に一つの区切りがついたあとの一九〇〇年から、この教員免許を生かしてセーヴルの先生として働き始めたのです。これは長女イレーヌ（一八九七―一九五六）が生まれて、キュリー家の家計がマリーの給与を必要としたから、というのもありますが、そもそも女子校の物理教師というのは、フランス留学のもともとの目的でした。したがって、その舞台がポーランドでなくフランスであっても、この選択はマリーにとっては自然なものでした。ただ、学校の方では一大事件でした。なぜならセーヴルが女の先生を雇ったのはこれが初めてだったからです。

そもそもセーヴル女子高等師範学校は、女子教育の改革を定めたカミーユ・セー法の下、一八八一年にフランス政府の肝いりで創立された女子のための非宗教的な教育機関で、基本的には女子の中等教育（中学と高校）に携わる教員養成のための女子校です。ちなみに明治時代の日本で、東京と奈良にできた二つの女子高等師範学校（現在のお茶の水女子大学と奈良女子大学）は、いわばセーヴルの姉妹のようなものです。ただ、フランスと日本との違いは、日本では男子校の東京高等師範学校ができたのは、東京女高師のできる四年前で、設立年に大きな差はありませんが、フランスでは男子の高等師範の歴史ははるかに長く、フランス革命の最中の一七九四年だったことです。カリキュラムの男女差も大きく、女子の方には、理科教員養成コースにさえ、マリーが必須と考えている学生実験がありませんでした。

そしてフランスのこの高等師範学校の男女差は、現実のフランスの世論を反映していました。今でもそうですが、フランス革命以来のこの国、特に共和制の時代のフランスには理念先行の傾向があります。それが男女の平等であれ、政教分離であれ、同性婚であれ、民衆の伝統や習慣を無視して、政府によって強引に進められることが多いのです。ですからカミーユ・セー法も時代には先んじていましたが、一般には「肌に合わない」国民の方が多い法律でした。この点は、「もういいかげんに現実の民意に合わせて法律を変えろ」と言いたくなることが多い日本とは正反対です。

結論から言うと、そこまで女子教育に熱心でない国民の方が多い状態で、共和国政府は女子教育改革に乗り出したのです。ヨーロッパの他の国に先駆けて、女子に大学を開放したのもその表れです。結果、いろいろとちぐはぐなことが起きました。たとえば、こうした制度がポーランド出身の大科学者、マリー・キュリーを生み出しましたが、当のマリーはきっと、最初にソルボンヌ大学に入学した時、フランス人の女子学生の少なさに驚いたに違いありません。ポーランド人の女の子の方が多いくらいです。物価の違いを考えると驚くべき話です。要するにフランスでは、女子教育の制度だけ先に整い、肝心の女の子とその親の進学熱はさほどでもなかったのです。長い間ソルボンヌ大学は、主に外国人女子留学生に高等教育を提供する一大拠点となり、フランス人女子学生は少数派にとどまっていました。しかし、少なくともセーヴルは基本的にフランス人女子の学校でしたし、他の女子校に比べれば、レベルの高い学校でした。

マリーはポーランドで中等教育を終え、その単位を持ってソルボンヌ大学に入ったので、フランスの女子中等教育についての知識も経験もありません。しかもセーヴルの同僚にソルボンヌの教授クラスの実力者が多いこともあり、ここの実情を見誤ります。まさか女子学生たちが高校で代数学をろくに習わないまま、理科教師になるべく入学してくるなどとは考えてもいませんでした。かくして一年目の「キュリー先生」は大失敗でした。マリーは詳しい説明抜きでどんどん授業を進めてしまいました。女子学生には、キュリー先生の授業がさっぱりわかりません。当然試験の点数はめちゃくちゃです。マリーのすごいのはここからです。このころは幼い長女のイレーヌをかかえ、さらにピエールと一緒に、何トンものピッチブレンド鉱石から、そこにわずか数ミリグラムしか含まれていないラジウムを抽出する難しい作業にとりかかっていたにもかかわらず、彼女は授業の改革を行います。入学時の女子学生の学力を調べ、彼女たちが物理の基本を理解できるように講義のプログラムを組み直し、さらに学生実験を行えるような工夫をしたのです。とたんにキュリー先生のファンがたくさん出現しました。

ウージェニィ・フェイティス・コットン――未来の女性校長

先の感想をもらしたウージェニィはこの、二年目以降の学生でした。ウージェニィはセーヴルでのマリーの教え子の中では一番有名で、のちに母校の物理学教授になり、最後には校長になります。けれども、セーヴルに入学した時のウージェニィは、そんな未来など想像だにしていませんでした。というのも、ウージェニィが生まれ故郷で進路について考えていたころには、この学校に女の先生など一人もいなかったからです。よく考えるとおかしな話です。セーヴルの女子学生たちは、女子中学や女子高校の先生の資格を取るためにここに来ていましたが、母校の先生になれるとは考えてもみませんでした。男子の高等師範学校の生徒は、そこの教授になることも選択肢の一つだったのに、です。両方の学校の先生が全員男であることを、両校の学生も教師も当たり前だと思っていました。ところがキュリー先生という一人の女性教員が、ウージェニィをはじめとしたセーヴルの女学生たちのこんな思い込みをひっくり返してしまいました。

マリーの教育改革は革新的でした。当時の女子学生の思い込み――物理はひたすら本の世界の中のこと、女子学生は男性教授の話をありがたく拝聴させてもらうだけ、という学問観――を変えてしまいます。学校にしまい込まれていた、もしくは教員だけが使うことのできた物理実験の器具を、女子学生たちに開放したのです。こうして物理学は彼女たちにとって、「仰ぎ見る」ものから「参加する」ものへと変化します。じつはマリーと学生実験には大きな因縁がありました。マリーもまた、ポーランドの中等教育では実験をさせてもらえなかったからです。天才実験家と謳われたこの女性が初めて実験をしたのは二十歳を過ぎてから、ロシア帝国に許されていなかった女子の高等教育を行うための秘密の学校組織、「移動大学」の授業で、です。マリーはこの時初めて、自分が実験好きで、それが得意なのだということを知ったのです。機会がなければ、才能など磨くことはできません。フランスの女の子たちは、その機会を奪われていました。

マリーは自分が手本を示した後、女子学生たちに実験をやらせます。もしも学校の器具が時代遅れだったら、自腹を切ってでもそれを改良したり、新しい器具を作ったりして、女子学生ができるだけ正確で新しい知識を取り入れることができるように工夫しました。こうして、本だけで頭でっかちにされていた女子学生に、基本的な物理学の法則が、突然に身近で生きた知識として立ち現れたのです。それは彼女たちにとって新しい世界の発見でした。ずっと後の一九三〇年代に、渡辺慧という一人の日本人男子留学生が、マリーがソルボンヌ大学で行った講義実験に出席して、こんな風に書き残しています。

いちばんおもしろいのは講義実験で、これはよほど念を入れて用意したもので、まねごとではなく真実の「実験室」を再現するようにしくんでありました。これはわが国などの講義には全然見られないものですが、ほんとうに学生を科学のふんい気にひきこむためには重要な役をすると感じました。

（渡辺慧「訳者の覚え書」M・キュリー、一九六〇、一九七頁）

この人は生まれて初めての講義実験に出席して感激したのでしょう。それはかつてのセーヴルの女子学生の感動と同じだったに違いありません。マリーは実験科学が好きでした。そして学生にも実験の喜びを感じてほしいと思っていたのです。マリーの実験への愛は確実に学生に伝わりました。

実験だけではありません。物理学の基礎としての数学でもマリーは新しい試みを行いました。何とセーヴルでは理科系の学生にすら、微積分の授業がなかったのです。もちろん男子の高等師範ではそんなことはありえません。マリーは校長を説得して、カリキュラムの中に微積分を入れさせます。さらに、結果的には明らかな性差別である、男子の高等師範との進級条件の差――女子だけが二年生が終わったところで特別の試験を受ける。合格しなければ退学。男子にはこれがない――を撤廃させました。

ここまでの話からわかることは、セーヴルの初期の教育は、理念先行のフランスの政策同様、現状把握がきちんとできていなかったということです。女子学生が仰ぎ見るような有名な男性科学者教員をそろえていながら、微積分の授業がないというのは信じられない話です。じつは、そうした名だたる男性教員には皆、本務校がありました。ソルボンヌ大学やコレージュ・ド・フランスといった有名教育機関です。要はセーヴル専業の大物教授など一人もいなかったのです。彼らは、いわば非常勤講師のような感じでセーヴルの授業をしていました。ですから、みかけは錚々たる教授陣をそろえた学校でしたが、カリキュラム全体を見渡して、セーヴルの女子学生の学力向上のために頑張ろうというような男性教員はほとんどいなかったのです。

そんななかに、他のポストを持たない、無名の若い女性が教師として採用されたのでした。結果として、これはセーヴルの歴史を変えるできごとでした。マリーはこの学校で初めて、「女子学生の立場に立って」ものを言う教師となったのです。

しかしいくらマリーが頑張っても、すぐにセーヴルの実験設備が完璧になったりはしません。そこでマリーは時々、教え子たちをピエールの学校の実験室に連れて行きました。先にも書いたように、そこはボロ小屋を改装した実験室ですから、素晴らしいところではありません。それでもセーヴルの装置とはレベルの違う器具のある科学実験室です。しかもピエールは自分たちの先生の夫、つまり科学者の妻を持つ男性という、女子学生が見たこともない存在でしたから、そのインパクトたるや絶大でした。じっさい、今の日本でも完全にはなくなっていませんが、当時のフランスには「女は学歴が高くなると生意気になって結婚しにくくなる」といった「おはなし」で、少女たちを脅かす大人がたくさんいました。そんな時に、フランス最高の学歴を持つ女性の、夫と子どもを目撃した彼女たちの驚きと喜びは、ものすごく大きかったに違いありません。

キュリー先生の家族と女学生たち

驚くべきことに、国際的な業績を持つ物理学者ピエール・キュリー教授は、妻の教え子の女子学生を、同じ科学を学ぶ人間として扱ってくれるのです。当時夫妻は一般には無名でしたが、科学界では放射能についての二人の共同研究は注目されており、一流の科学者と見られていました。そのピエールが、セーヴルの女子学生のためだけに、自分の発明した装置を動かしてくれます。なんとまだほとんどの学者が名前しか知らない物質、夫妻が発見し、独自の製法で取り出した輝くラジウム塩を見せてもらったことさえありました。

そしてここ、物理化学学校の男性スタッフたちは、単なる教授の奥様としてではなく、一人の独立した科学者としてマリーを遇していました。その上ピエールは、女子学生たちがマリーの知性を褒めると、本当にうれしそうな顔をするのです。こんな場面を見るのは、セーヴルの女子にとって生まれて初めての体験でした。キュリー夫妻の周りにいる人たちは皆、女子学生たちの進路の悩みを真剣に聞いてくれました。ここには「結婚までの腰かけ」的な見方で、彼女たちの悩みを軽く扱う者など一人もいなかったのです。

マリーはまた、生徒たちを自宅にも招待しました。それは質素な小さい家でしたし、イレーヌは人見知りがひどくて、かわいげのない子どもでしたが、そんなことは問題になりませんでした。なぜなら、その家での科学者たちの自由な会話は、教え子には驚異的だったからです。特に、社会的な階級の上下とか体面とかを気にする小さな田舎町の出身だったウージェニィは、こうした、自由と独立心を大切にする雰囲気に誰よりも驚き、それだけ感激もひとしおでした。彼女は同級生の中でも特にキュリー家に深くかかわっていきます。しかも、なぜかイレーヌがウージェニィに心を開き、彼女はマリーの流産をきっかけにイレーヌの子守をするようになります。イレーヌの思想的教師はウージェニィだという研究者もいるくらい、二人は仲良しになりました。こうしてウージェニィはマリーから直接間接に、女性であることで、人生の選択肢を狭めなくてもいいことを、また家事や育児など、生活の中の具体的な問題の解決法を教わります。

面白いのは自転車です。二〇世紀の初めのフランスでは、女性が自転車に乗ることは、一般的にははしたないことでした。女性は何かにまたがってはいけなかったからです。乗馬でも女性だけ横乗りで、鞍の形も男性とは違うのです。子守の必要性から、キュリー先生の自転車を貸してもらったウージェニィは、これを必死に練習します。それは体育的訓練であるとともに、社会規範への挑戦でした。やがて彼女は先生と同じくらい上手に、自転車を乗りこなせるようになります。

先生は女性国家理学博士

しかし何といっても、この時期のセーヴルの女子学生にとっての興奮のクライマックスは、この章の最初に述べたマリーの博士論文口頭試問の儀式です。それはソルボンヌ大学理学部で、いえ、フランスで初めて「物理学」の研究によって女性国家理学博士が誕生する場面でした。錚々たる教授陣を前に、マリーは堂々と放射能についての自分の研究を披露します。もういちどウージェニィの感想に戻ってみましょう。

一九〇三年六月〔……〕女高師生たちは、いたく感動して、ウジェーヌ・キュリー博士〔ピエールの父〕、ピエール・キュリー、それにポーランドからやって来た〔マリーの姉で医師になった〕ブローニャ・ドルスカの傍らに席を占めた。試験官のソルボンヌ教授ブーティ、リップマン、モワサンの諸氏によって発せられる質問に自分たちの先生が確実に答弁するのをきいて、彼女たちは得意になり、マリーが優の成績で論文が通過し、審査員諸氏の称賛を浴びたことを知って心から喜んだ。

ほかの女性に対する何という大きな手本を、励ましを、マリー・キュリーは今ここに与えたことだろうか！

（コットン、一九六四、五六―五七頁）

マリー・キュリーとセーヴルの女子学生たち　キュリー家で　1903年
左から:マリー、イレーヌ、マドレーヌ・ルータブール、アンナ・カルタン、アンリエット・ペラン（科学者ジャン・ペランの妻で隣人)、マルト・バイヨー・プリバ、ウージェニィ・フェイティス（・コットン)
〈所蔵：Musée Curie(coll. ACJC)〉

マリーは他の女性を勇気づけるためにラジウムを発見したわけでもなければ、博士号に挑戦したわけでもないでしょうが、後者の効果は絶大でした。じつはこのころフランスには、取得の難しい国家博士号と、大学課程博士号という二種類の博士号がありました。特に国家博士号は非常に狭き門で、現在の博士号とは桁が違うのです。それを「自分たちの先生」が獲得したのです。普段からの学校でのキュリー先生の、女子学生たちへの共感をこめた態度は、「女性の国家理学博士号」というこの栄光を、女子学生たちが我がこととして喜ぶことを可能にしました。

これこそが女性のロール・モデルとし

てのマリー・キュリーの価値です。女子学生たちは、キュリー先生と身近に接することを通して、自分たちにも自分たちなりに未来を拓くことが可能だという実感を持てたのです。これはどんな親切な男性の教師にもできない、女から女への贈り物です。

しかもウージェニィとその同級生は、栄光だけでなく悲しみもまた先生と分かち合いました。ピエールの事故死を知った時、彼女たちは先生の家で過ごした楽しい時間を思い出し、胸が張り裂けそうな気持ちになりました。特にウージェニィの同級生の一人であるリュシエンヌ・ファバン・ゴッス（一八八三—一九七五）は、ピエールの死の数日前にマリーに会った時に、自分にとって家庭は本当に大切なものだという、マリーの喜びに満ちた打ち明け話を聞いたばかりなのです。ウージェニィは新聞でこの不幸を知ります。彼女はすぐにマリーのところに駆けつけ、ピエールの父に花をささげ、隣家に住んでいた夫妻の友人科学者ジャン・ペラン（一八七〇—一九四二）の妻アンリエットと一緒に泣きました。

キュリー先生、大学教授になる

そして不幸がきっかけになったとはいえ、夫の死はマリーのキャリアを大きく変えました。キュリー夫人はフランス史上初の女性大学教員、つまり今度は「大学の先生」となるのです。マスコミはこの、悲しみにくれた寡婦が大学教師となったニュースに大騒ぎをします。ウージェニィたちにとっては、マリーのこの「出世」はセーヴルの先生としてのマリー・キュリーとの別れでもありました。女子学生たちはお世話になった先生の力になりたいと思います。彼女たちは、マリーが初めてソルボンヌ大学で講義をする日に、物見高いやじ馬から先生を守ろうとして、教壇から近い位置に陣取ってその講義を受けました。じっさい、その日の物理学教室は、着飾ったやじ馬の聴講者の方が学生より多いという状態でした。

ここには、フランス文学好きなら、おお、と言いたくなるような人物も来ていました。マルセル・プルースト（一八七一—一九二二）が『失われた時を求めて』の中に登場させた輝かしい貴婦人、ゲルマント公爵夫人のモデルの一人、パリ社交界の華で、文芸や学術の庇護者としても名を馳せていたグレフュール伯爵夫人（一八六〇—一九五二）です。こういう身分の女性は一人で外出したりしませんから、当然お付きの者や取り巻き連と一緒です。ベル・エポックのこの時代、おしゃれな女性たちは皆、飾りがたくさんついたとても大きな帽子を、昼間の室内でもかぶっていましたから、こんな女性たちが前にいたら後ろの人は何も見えません。あるジャーナリストが、いかにもフランス的なアイロニーを込めて、この手の帽子の「影響」について述べています。「幸いにも、教室は広かった」と。要するにその階段教室は見世物小屋になっていたのです。

いまだピエールの死の打撃が色濃く残る心のまま、こんな聴衆を前に授業をしなければならないマリーは、そこに見た教え子たちの真剣な姿に心から慰められたに違いありません。授業は淡々と開始され、科学以外のよけいな挨拶など一切行わないという、異端的なマリーの覚悟が皆に伝わったのか、ほんのかすかな私語もない中で粛々と進み、大きな拍手の中で終了しました。教え子の女子学生たちは皆、「先生は自分たちにこそ語りかけてくれたのだ」と感じたそうです。この話からわかるのは、先生と生徒は一方的な関係ではないということです、彼女たちは与え合い、励まし合って互いを鼓舞しました。

彼女たちの進路

こんな先生や同級生を持てたおかげで、ウージェニィは一九〇四年に物理学と博物学の女子高等教育教員資格試験（アグレガシオン）に一番で合格しました。彼女はフランスで物理学アグレガシオンを取得した最初の女性です。そのあと地方の女子中学で教鞭をとりますが、のちにマリーの推薦で母校セーヴルの物理学教師に転任します。つまり彼女は「キュリー先生」の後任（の後任ですが）になったのです。一九一三年には、かつてキュリー夫妻の家に呼ばれた時に知り合った物理学者で、ソルボンヌ大学教授のエーメ・コットンと結婚してコットン夫人となります。もちろん仕事は継続します。教育はウージェニィの天職でした。

この時の仲良しの理科系三人、ウージェニィとリュシエンヌと数学系のアンナ・カルタン（一八七八―一九二三）もそれぞれに資格を取って、教師として働きました。もちろん皆が皆、自分の望み通りのキャリアを持てたわけではありません。特にリュシエンヌは、教員よりは研究者になるようにマリーやその同僚から勧められ、本人も努力するのですが、マリーの奔走でも研究職のポストを得ることはできず、最終的にはリセの先生になりました。彼女はのちにレジスタンスで殺された科学者の夫、ルネ・ゴッス（一八八三―一九四三）の有名な伝記を書くことになります。

マリーはソルボンヌ大学に栄転しても、セーヴルの女子学生についての配慮を欠かしませんでした。ウージェニィの後輩に当たるカトリーヌ・シュルホフ（一八八五―一九六〇）は、やっぱり一九〇六年の初講義に出席した学生ですが、マリーがこれを機に、セーヴルの女子学生にソルボンヌ大学の授業に出席する権利を大学に認めさせたことに感謝して、それはまさに「革命」だったと、『キュリー夫人のソルボンヌ大学初講義五十周年記念論集』に書き残しています。ちなみにカトリーヌは、ウージェニィ同様アグレガシオンを取得して教師になっただけでなく、女性のアグレガシオン取得者の権利のために戦う闘士となります。というのも、当時は男子のアグレガシオンと女子のそれでは格の違いがあり、彼女はこれを同レベルのものにするための活動を指揮したのです。

カトリーヌは、この論集にもう一つ面白いことを書き残しています。それはソルボンヌ大学のマリーの初講義に、ポーランド人女子留学生がたくさん出席していた、ということです。ポーランドが独立するのはもう少し先ですが、マリーの存在は確かに、独立を目指していたポーランドの人材育成に、間接的にだけでなく、こうして直接的にも貢献したのです。ポーランド人女子学生にとって、自分たちの先輩女性が、留学先の教壇に立つのを見たことは大きな励ましだったに違いありません。そしてマリーにとっても、かつての自分のような女性たちが、自分の講義に出席しているのを見るのは心強いことだったと思います。こうしたポーランド女性の幾人かは、のちにマリーの弟子となりました。

コラム1

放射能研究のあけぼの——ベクレルとマリー・キュリー

放射能研究は一九世紀の終わりのフランスに始まった。それも、偶然の結果として。この世紀、エネルギーというテーマは、科学者のみならず科学を生活に役立てようと考えるすべての人々にとって重大な問題であった。「電気」は、その中でもとりわけ注目された現象の一つである。そして、放射能研究は、この電気の実験の中から生まれたのである。

一八五八年、ドイツの数学者・物理学者ユリウス・プリュッカー（一八〇一—一八六八）が、ほとんど真空にしたガラス製の放電管に高電圧をかけると、陰極に近いガラス壁が緑色の蛍光を発することを発見した。これは現在では、真空管の中で観察される電子の流れがガラス壁に当たることで発光することがわかっているが、当時はまったくの謎であった。

一八六九年には、プリュッカーの弟子ヴィルヘルム・ヒットルフ（一八二四—一九一四）が、この装置において、陰極と蛍光を発しているガラス壁の間にいろいろなものを置くと、その影が壁に映ることを発見した。彼はこの現象の理由として、陰極から何らかの放射線が出ていて、そのせいでガラス壁が光るのだろうと推測した。その後一八七六年に、やはりドイツのオイゲン・ゴルトシュタイン（一八五〇—一九三〇）が、この謎の放射線はすべて陰極から並行に発していると結論付け、これに「陰極線」と名付けた。ただしその正体は相変わらず謎であった。

現在ではこの現象を利用して蛍光灯が実用化されている。

この不思議な放射線は多くの科学者の目を引いた。その中の一人にドイツのヴィルヘルム・レントゲン（一八四五―一九二三）がいた。彼は一八九四年ごろから陰極線の装置を作って、この現象を観測していた。一八九五年一一月の初め、レントゲンはガラス製の放電管全体を厚紙で覆って、可視光を通さないようにして電源を入れ、陰極線がそこから出ることができるかどうかの実験を行っていた。その時、彼は装置から一メートル以上離れたところに置かれた蛍光紙がかすかに光ることに気が付いた。蛍光紙とは、可視であろうが不可視であろうが、光を捉えることのできる物質を塗った紙で、光が当たると蛍光を発する仕組みになっている。装置の電源を切ると、この蛍光は消えた。つまり陰極線の装置から、何らかの不可視光線がこの蛍光紙のところにまで達しているのだ。これも陰極線なのだろうか。レントゲンがその性質を調べてみると、陰極線と同じではなかった。つまり第二の謎の放射線を発見したのである。

レントゲンはこの放射線を、謎という意味を込めてX線と命名した。これは、陰極線が放電管のガラス壁に当たって蛍光を発すると、その蛍光部分から新しく発生する放射線で、写真乾板を変色させる作用（写真作用）があることが確認された。これが現在、私たちがレントゲン写真と呼んでいるものの始まりである。彼はすぐに「新しい種類の放射線」という論文を書き上げ、抜き刷りにさまざまな物体のX線写真を添えて内外の著名な物理学者に送った。

レントゲンが撮った写真は大反響を引き起こした。解体することなく箱の中身がわかり、解剖することなく生き物の骨の様子がわかるのだ。レントゲンから写真と論文を受け取った一人であるフランスの物理学者アンリ・ポアンカレ（一八五四―一九一二）は、一八九六年一月のパリ科学アカデミーの新年会でX線について報告し、そこにこの現象に対する自分自身の見解を付け加えた。それは、X線が陰極線装置の蛍光部分から出ているのなら、じつはこうした装置以外の蛍光部分からもX線が出ているのではないかというものである。つまりポアンカレは、自分たちの身近にあるものからも、X線が出ているかもしれないと述べたのである。

この会に出席していた物理学者アンリ・ベクレル（一八五二―一九〇八）は、さっそくこの仮説を検証することにした。というのも、ベクレルは燐光や蛍光の専門家であり、暗闇で光る鉱物などの標本を多数所有していたからである。ベクレルはまずこうした鉱物を日光に当ててから、それが写真作用を行うかどうか確認した。その結果、燐光体である硫酸ウラニルカリウム（ウランの化合物）が、X線のような不可視光を発していることを発見した。ただ、この場合、ベクレルはそれが事前に当てた日光のエネルギーと関係していると考えていたし、この物質の持つ燐光という性質が必要条件だと思っていた。ところがある日、暗闇の中に放置していたこの同じ物質が、それでも写真作用を起こしていることを発見した。つまり、日光と関係なく放射線を出し続けていたのだ。これは衝撃だった。

ベクレルは新たな実験に乗り出す。日光も、ポワンカレの仮説である「蛍光」すらも不要かもしれないと考えたのだ。ベクレルは、燐光のないウラン化合物でも同様の実験を行い、やはりそこからも写真作用をする放射線が出ていること、さらにこの放射線はX線でも陰極線でもないことを確認したのである。これが第三の謎の放射線、いわゆるウランの放射能の発見であった。

ここに登場するのが新婚時代のマリー・キュリー（一八六七―一九三四）である。マリーはフランスの国家理学博士号取得を目指していた。外国出身で女性である自分が、フランスできちんとした科学者として認めてもらうためには、この資格が絶対に必要だと考えていたからである。そのための研究テーマとして、この現象の解明は最適だと考えた。それはこの現象の魅力に加えて「先行研究が少ない」、結果として「権威がいない」という、マイノリティ（社会的弱者）にとってのメリットもあったからである。

マリーの方法は徹底的かつ数学的であった。レントゲンからの習慣で皆が写真乾板を使ってウラン放射線の有無を測定している時に、この放射線の持つもう一つの性質、空気の電気伝導性を利用したのである。ウランの放射線があるところの空気は電離する。つまり電流が流れるのだ。この微弱電流を、夫ピエール・キュリー（一八五九―一九〇六）とその兄ジャック・キュリー（一八五五―一九四一）が発明したピエゾ電気計で測定し、放射線の強さを瞬間的数値として提示してみせた。写真乾板の色の変化の観察という定性的方法ではなく、電流の測定という定量的方法を採用することによって、マリーは誰よりも正確にウラン放射線の強さを実証できたのである。その結果は驚くべきものであった。

ウラン放射線の強度は、どんな外的条件にも左右されない。しかも陰極線やX線と違って、電源のような外からのエネルギーを必要としない。ウランがありさえすればそれは存在し、その強度はその物質に含まれるウランの含有量に正確に比例する、というものだった。これは化学変化ではありえない。物理現象なのだ。マリーはこれを「ウランの原子的性質」と言い切った。しかし、そうなるとウランから出てくる光のエネルギーはどこから来るのだろうか。人類はついに夢の永久機関を発見したのだろうか。

マリーは、この「エネルギー源問題」はとりあえず棚上げにし、存在するすべての元素の放射線を測定することにした。すると、ウランだけでなくトリウムからも放射線が出ていることがわかったのである。これはドイツのカール・シュミット（一八六五―一九四九）との同時発見となった。自然界にはこうした不思議な元素が存在するのだ。

かたやドミトリー・メンデレーエフ（一八三四―一九〇七）が発案した、元素の周期表にはまだまだ空白の部分がある。いまだ発見されていない新しい元素が、この世界に存在しているのだ。

コラム2

ポロニウムとラジウムの発見――キュリー「夫妻」の共同研究

すべての元素の放射線を測定する一方、マリーは手に入る限りのウラン鉱石の放射線の強度を測定していた。そしてトリウムの放射線を発見したのち、ある鉱物の測定値が異常であることに気が付いた。その鉱物こそが瀝青《れきせい》ウラン鉱、いわゆるピッチブレンドだった。この鉱物の放射線は異常に強いのだ。ピッチブレンドの組成はほとんど判明していた。その組成から推測される放射線の強度は、実際の測定値よりずっと小さい値である。マリーの測定値は、石全部がウランでできているとしても、それでも足りないくらい強力な放射線の存在を示しているのである。だとしたら、原因はまだ組成がわかっていない、ごく微量の「その他」の中にしかない。この「その他」の中に、ウランやトリウムよりもはるかに強力な放射線を放つ新元素がある、というのがマリーの見立てだった。この結果は一八九八年四月に科学アカデミーで報告された。

じつはここまではキュリー「夫妻」の研究ではない。博士号取得のための、マリー一人の研究である。論文の著者名もマリー単独である。ピエールは妻より八歳も年上だったし、大学入学年度に至っては、ポーランドで住み込みの家庭教師をして学資を稼がねばならなかったマリーのハンデもあって、一六年も開いている。二人が一八九五年に結婚した時、ピエールはすでに磁性や結晶学の世界的権威だった。彼は妻と違って、新しいテーマを見つける必要などなかった。ところが、そのピエールが、自分の傍らでウランの研究をしていた妻の発見に魅せられたのである。そもそもこの発見をもたらしたのが、自分と兄が発明したピエゾ電気計であるというのも、彼の興味をそそったに違いない。加えて、この先の作業には相当の困難が予想された。ピエールは自分の研究を中断してまでも、妻の研究に合流する。こうして一八九八年の半ばから、真の意味での「キュリー夫妻」の共同研究が始まった。実験場所は常に、夫の職場であったパリ市立物理化学学校である。

キュリー夫妻は既知の組成を元に、酸やアルカリや熱を使ってピッチブレンドを分解してゆく。そのたびに分離した物質の放射線の強度を測った。マリーは自ら、この方法を「放射能に基礎をおく化学研究の新方法」と表現している。この作業の中で、化学的には異なる性質を持つ二つの部分、もちろんウランでもトリウムでもない部分から、強い放射線が出ていることがわかった。なんと新元素は二種類あるかもしれないのだ。最初にわかった放射線源は分離したビスマスだった。純粋なビスマスは放射線を出さない。だとしたら、この「ビスマスだけ」に見えている物質には、その「何か」が含まれているのである。マリーはこの新元素に失われた祖国の名を与えた。ポロニウム、と。同時にこの現象に「放射性」という言葉も与えて、七月の論文で発表した。夫妻の初めての共著論文である。まもなくバリウムでも同じ現象が見つかった。バリウムそっくりな性質を持ち、でもバリウムではない何かが、ピッチブレンドに含まれるバリウムに結合している。こちらにはラテン語の「光線」を意味する言葉からの類推で、ラジウムと命名した。ラジオなどと同じ語源である。そしてこれらの元素および放射線を出す性質に対して「放射能」という造語を当てて、同僚のギュスターヴ・ベモン（一八五七―一九三二）と三人で一二月に発表した*。これは後のことになるが、じつはピッチブレンドには三番目の新元素も存在していた。アンドレ・ドビエルヌ（一八七四―一九四九）が発見することになるアクチニウムである。

こうして、一般的には一八九八年をしてポロニウムとラジウムの発見年と言われるのだが、話はこれで終わりではない。というのも、この年はむしろこの二元素の存在の発見年であり、それを元素周期表に入れ込んだ年ではないからだ。そのためにはその元素の原子量やスペクトルの決定が必要になる。つまりある程度の量の元素の単離が必要だ。ピエールはそのための実験に必要な、広い実験室を学校に要求する。ところが学校が許可したのは、今や伝説になったボロ小屋、廃墟と言っていいような、医学部の旧解剖教室のバラックだった。キュリー夫妻はこの粗末な小屋で、ポーランドを誇りたいマリーには残念なことだが、単離がより容易だったラジウムの抽出に挑むことになった。

最初は先の「化学研究の新方法」でラジウムを含むバリウムを取り出し、最後は以前からあった分別結晶法という技法を応用して、新放射性元素を含んだバリウムの塩化物からラジウムを分けるという手順を踏んだ。四年の歳月の後の一九〇二年、ついに二人は、数トンのピッチブレンドから〇・一グラムのラジウムの塩化物を単離することに成功した。この時夫妻が発表したラジウムの原子番号は88、原子量は225（現在は226）。当時の周期表ではバリウムの隣に位置する元素（現在の表では真下）であることがわかった。こうしてマリーは博士号の研究を完成し、「放射能の研究」という論文で、一九〇三年六月にフランス初の物理学研究による女性国家理学博士になる。この式典を目撃した時の様子は、第一章のセーヴル女子高等師範学校生徒たちの報告にある通りである。マリーはついに、フランスで一流の科学者として認められたのである。

称賛はこれで終わらなかった。その年の一一月、第一回の物理学賞をX線の発見者レントゲンに授与したノーベル委員会が、キュリー夫妻とベクレルに第三回の栄誉を与えたのである。マリーの流産とピエールの体調不良からのびのびになっていた一九〇五年六月のノーベル賞講演で、ピエールは純粋科学上の価値だけでなく、医学におけるラジウムの有用性についても言及している。この点でラジウムにはX線と類似した期待がかけられていた。つまりキュリー夫妻の発見、特にラジウムの発見は「人類の福祉」とつながる科学的成果だと見なされていたのである。ただし、ピエールはバラ色の未来を語っただけではない。アルフレッド・ノーベル（一八三三―一八九六）のダイナマイトと同じ運命――放射能の兵器への応用可能性――を危惧してもいた。

＊ここで放射能と放射線の違いについて説明しておく。本書で「放射線」と言う場合、それは何かから放射されているあらゆる線（のちに、高い運動エネルギーを持つ物質粒子か電磁波と判明するもの）を指す。つまり太陽光線も豆電球からの光も放射線である。しかしマリーの造語である「放射能」という言葉は、放射性物質（放射性元素）にのみかかわるものである。したがって、放射性物質から出てくる不可視の光線は、「放射線の一種」ではあるが、「放射線のすべて」ではない。

第二章

フランス初の女性大学教授

――科学者を育てる女性

キュリー研究室の始まり

ウージェニィたちが目撃した、ほとんど劇場の人気演目の初日さながらの、マリー・キュリーによるソルボンヌの初講義は、しかしながらピエールの死によって自動的に実現されたものではありませんでした。当初はソルボンヌ大学も政府も、まずは夫を失ったマリーに、寡婦年金を出す相談をしていたのです。

しかし、子どものころから独立して生きていくことを当然としていたマリーにとって、こんな申し出は論外でした。彼女はまだ三八歳なのです。十分働いて生きていけます。そもそもすでにセーヴルの教授として正規の教員職についています。ところが寡婦年金を断られた政府は仰天します。そんな回答は想定外だったからです。もう一つの問題はピエールの後任者の選択です。秋からの授業は休講にできません。大学のレベルを落とさずに放射能の講義を行い、研究室の運営ができる人物が誰かいるでしょうか。じつはずっと前から、ピエールはマリーに大学で講義をさせたがっていました。じっさいマリーは、かつてはそこの学生でしたから、雰囲気はよくわかっています。しかもピエールの研究室の実験主任をしていたので、スタッフとも懇意です。会議を重ねた結果、これ以上の適任者は存在しないということで、大学はキュリー夫人をピエールの後任として選びました。

こうしてフランス史上初の女性大学教員となったマリーには、どのような役割が期待されていたのでしょう。当面の仕事は中途で切れたピエールの授業の続きと、その時に属していた学生の指導です。助手も含めてメンバーは全部で七人、すべて男性でした。繰り返しになりますが、部屋は簡素な二部屋の実験室だけです。ここに「キュリー先生」の業績や名声に惹かれてやってくる、新しい男女の指導も始まります。

学生指導にはもちろんお金が必要です。ソルボンヌの予算はありますが、それだけでは足りません。うれしいことに、一九〇七年からアメリカのカーネギー教育振興財団が、継続的に奨学金を寄付してくれることになりました。じつはカーネギーは、ピエールの生前から時々寄付をしてくれることがあったのですが、このような形で固定化されたのです。おかげでマリーはこの先、大学からの正規の助手のほかに、自分の権限で研究者を雇えるようになりました。

マリーが研究者を受け入れる時の基準は単純でした。①きちんとした紹介状があるか、②給費などの経済的裏付けがあるか、③本人のやりたい研究がこの研究室に合っているか、だけです。この三条件がクリアされれば、よほど混み合っていない限り、とりあえず受け入れました。二番目については、その人物が優秀と見れば、マリー自ら給費をとってくることもありました。たとえばカーネギーのお金をここに使うのです。そして一年間様子を見ます。その人物の研究態度がきちんとしていれば、本人が望めば継続を許可し、態度が悪ければ、そこで打ち切りです。別の研究室を希望する者には、そこへの紹介状を書きました。部屋が二つしかなかったこともあり、研究員はみんな仲良しで、家族のような関係でした。しかもこの家族的雰囲気は、建物が整備され、最後には六十人ものスタッフをかかえるようになったラジウム研究所時代になっても変わりませんでした。基本的に、マリーの研究スタイルはピエールのそれを受け継いだものです。キュリー夫妻にとって、科学研究とはそもそも個人的な作業で、複数でやるにしても少人数で行いました。指導者たちと弟子の間の関係は親密で、師匠は弟子全員の研究を把握していました。

ここには性も、年齢も、国籍も民族も関係ありません。「研究」だけがすべての基準でした。のちにマリー・キュリーの孫弟子となる日本人女性物理学者湯浅年子（一九〇九―一九八〇）が、パリで「キュリー先生」の弟子や友人の科学者たちに接して「ここでは『私は研究がしたいのです』という言葉が、すべてにまさって権威のあるもの」と、その精神をたたえていますが、まさにそれこそがキュリー研究室の基本方針でした。

エレン・グレディッチ――肝っ玉姉さんの一番弟子

この時期の一番注目すべき女の教え子は、のちにオスロ大学教授になって、自分の教え子もマリーのところに送ることになる、ノルウェーのエレン・グレディッチ（一八七九―一九六八）です。ちょっと考えればわかりますが、マリーの研究室の基本方針が先のようなものなら、当然女性や外国人の希望が増えます。一番注目すべきエレンがフランス人でないのはむしろ当たり前なのです。じつはラジウム研究所ができるまでの時期――一九〇六年から一九一四年まで――に、キュリー研究室に所属した女性一〇人のうち、七人までが外国人でした。男性はもっとフランス人の割合が高いので、ここには、セーヴルとカミーユ・セー法を説明した時に述べた「理念優先」というフランス特有の事情があります。こうしてキュリー研究室は、外国人女性の注目の研究室になっていたのです。

エレン・グレディッチは薬剤師のキャリアから始めて科学研究者を目指し、国の奨学金を受けて一九〇七年の秋からキュリー研究室に入りました。ノルウェーで大学を卒業していなかったので、同時にソルボンヌ大学にも登録し、フランスで理学士を取得します。マリーは、のちに述べるハリエット・ブルックス（一八七六―一九三三）の研究所引き留めに失敗していたので、その代わりに来たかのような、この腕のいい女性研究者を高く評価し、給与を出すから自分の助手にならないかとまで提案します。エレンのそれまでの経歴を考えれば、これは破格の待遇でした。こうして数か月の予定が五年の滞在となり、エレンはマリーの直接指導の下に、高度な実験技術を完璧に習得することになります。特筆すべきは、かつてキュリー夫妻がバリウムと結合したラジウムを取り出すのに考案した、特別な分別結晶法を会得したことです。これは彼女がのちにアメリカでラジウムの半減期を決定するに当たり、大きな役割を果たすことになります。

五年というのは、ここの正規職員となった研究者を除くと、非常に長い滞在期間です。エレンはこのあとも、こんどはラジウム研究所になったマリーの研究室に短い滞在を繰り返しました。エレンはソルボンヌとラジウム研究所の両方に通じている、数少ない研究者の一人です。そしてこの最初の滞在の間に、生涯の親友を二人得ました。イギリス人のメイ・シビル・レズリー（一八八七―一九三七）とスウェーデン人のエヴァ・ラムステッド（一八七九―一九七四）です。彼女たちは仲良し三人組と

エレン・グレディッチ　1910 年ごろ
〈所蔵：© Lars Edmund Gleditsch, Annette Lykknes private collection〉

して、一緒に研究をしたり遊んだりしてパリで青春を謳歌し、それぞれが国に帰った後も交際を続け、マリーもこの女弟子たちの友情の絆を大変喜びました。これはパイオニアのマリーには持てなかった経験です。マリーはいつだって紅一点で仕事をしてきました。それが女三人組を作れるくらいの研究室を築くことができたのです。これは科学史における女性という問題を考える時に、非常に重要なことがらです。

仲良し三人組の誕生

少し考えればわかりますが、同性だからといって友達になれるとは限りません。ですから同性の友達を作るには、ある程度の数がそこにいてくれないと無理です。しかし科学の現場は男性中心社会ですから、女性がいても、かつてのマリーのように「一人だけ」ということが多かったのです。しかし二人ならいいかというと、もし気が合わなかったら最悪です。これは男女が逆になっても同じで、たとえば病棟や保育園で、男性の看護師あるいは保育士が二人だけいて、その二人は気が合わないというのは、たくさんいる同性の中で、仲良しグループや敵対グループができるというよりももっと大変です。キュリー先生の研究室の利点はここです。最初の二年間を除けば、ここにはたいてい三人以上の女性研究者がいました。

メイ・シビル・レズリーはエレンと違い、イギリスで学士号を取得して、奨学金を得てから、一九一〇年の秋にキュリー研究室にやってきました。当初はエレンと、もう一人の女性研究者、この時期のただ一人のフランス人女性だったリュシー・ブランキエ（一八八三―一九五七以降）と三人で共同研究をしました。レズリーは、後で述べるアーネスト・ラザフォード（一八七一―一九三七）が発見したトリウムのエマナチオンの分子量測定と、トリウム化合物の合成に成功します。ちなみにトリウムは、かつてマリーがドイツの研究者と、それが持つ放射性を同時発見した元素です。ベクレルがウランの中に見出した放射能を、マリーはやはり当時既知だった元素、トリウムの中にも見つけました。そして一九一一年には、その前の年から来ていたエヴァ・ラムステッドもこの三人の研究に合流します。こうしてエレン、メイ、エヴァは仲良し三人組になったのです。ちなみにエヴァはこの三人の中で、唯一、母国で博士号（哲学）を取得してからの留学で、ストックホルム市長の娘という恵まれた家庭の出身です。

科学者として母国で働くということ

この三人はみんな母国に帰り、そこで科学者としてのキャリアを継続しました。中でも放射能科学の歴史に残る業績を上げたエレンの活躍は、注目に値します。彼女は一九一二年にノルウェーに帰ってオスロ大学の講師となり、今度はアメリカに留学します。放射能の権威ではありますが、女性蔑視で有名だったバートラム・ボルトウッド（一八七〇―一九二七）の研究室に行き、なんとこの頑固者の考え方を覆すのです。エレンはアメリカでラジウムの半減期を一六八六年だと結論づけました（現在の数値は一六〇〇年）。この功績により、ハーバード大学は、傘下のスミス女子カレッジの博士号をエレンに授与しました。帰国したエレンはオスロ大学の化学講師となり、科学アカデミーの会員にも選出されます。こうして、科学者であるだけでなく、指導者にもなったエレンは、第一次世界大戦後に自分の女性の教え子二名を新しく開所したマリーのラジウム研究室に送り出すまでになりました。最後にはノルウェーで二人目の女性正教授となり、ノルウェーの科学史にも女性史にも名を残す学者となりました。

メイはイギリスに帰国後、マリーの友人ラザフォードの研究室に所属したのち、女子中等学校の教員になりました。教職の傍ら、昔の指導教員と一緒に研究も続行します。第一次世界大戦中は、戦場に行った男たちに代わって、王立化学工場の化学研究室長になります。爆弾製造に直結する研究に従事したのです。この貢献で、彼女はリーズ大学の理学博士号を授与されました。ただ、戦争が終わると男性帰還兵に職場を譲らざるを得ず、研究室を退職して、さまざまな教育職を転々としながら、それでも研究を続けました。王立技術学校助教授のアルフレッド・ハミルトン・ブルとの結婚後も、しばらくはそれぞれの研究のために別居したままでした。一九二九年には退職しますが、夫の死後はリーズ大学の教職につき、最後まで研究を続けました。メイのキャリアは、当時の既婚女性が、なんとかして研究を継続しようとした努力の跡をはっきりと示すものです。一つだけ言えることは、メイは決してあきらめなかった、ということです。

エヴァはマリーのところを出た後、スウェーデンのノーベル物理化学研究所の補助研究員となり、スヴァンテ・アレニウス（一八五九―一九二七）と共同研究を行っています。一九一五年にはストックホルム大学の放射線医学の教員になって、一九三二年までそこで教鞭をとりました。同時に、ストックホルム市民大学の数学と物理の講師にもなります。一九四二年には、今までの放射能研究に対して、ストックホルム大学から理学博士の称号をもらっています。女子教育改革にも熱心で、それに関する政府の委員にもなりました。

「留学経験のある女性研究者」への特殊なまなざし

こんな風に書くと、エレンのキャリアだけが特別恵まれているように見えますが、その裏には大変な苦労がありました。じつはエレンはノルウェー初の放射能研究者なのです。つまり、すでに放射能研究先進国だったイギリス人のメイなどと違い、同国人の中に自分の業績をきちんと評価できる人間がいません。こうなると、変に持ち上げられるか、無視されるか、いずれにせよ、就職や昇進で適切に扱われない可能性が大になります。ここに前例の少ない「女性」という要素が加わるので、国内でのエレンの評価は彼女には納得のできないことが多々ありました。海外での輝かしい経歴はそのまま、国内を留守にしている時間の長さ、つまりオスロ大学の同僚との関係を大切にしていないという「解釈」にもつながってしまいます。師であったマリーが、フランスにいながら「ポーランドの誇り」として常に祖国の英雄だったのとは大違いです。虐げられたポーランドにとっては、外国での評価はそのままポーランドの栄光につながりましたが、独立国ノルウェーでは、そうはいきません。

エレンとしては、ラジウム研究所を含む世界の放射能研究所での自分への高い評価を考えると、オスロ大学の自分に対する低い評価は不当としか考えられませんでした。資格は十分にあるにもかかわらず、正教授への昇進手続きにずいぶん手間取り、外国の同僚たちをあきれさせます。けれども、エレンがくじけたりせずに、平常心を保っていられたのは、メイやエヴァをはじめとしたラジウム研究所の仲間との友情や、マリーやボルトウッドをはじめとした、放射能研究での恩師からのゆるぎない評価があったからだと思います。

家族の絆もまたエレンを支えました。両親は開明的な人でしたが、なにせエレンは一〇人兄弟姉妹の長女だったので、経済的には恵まれていませんでした。しかもエレンは、いろいろな意味で弟妹の世話に追われることが多かったのですが、弟妹の方でも、この肝っ玉姉さんの恩を決して忘れず、彼女のキャリアを誇りにし、その精神的支えになりました。

女性だけが標的になるわけではないのですが、エレンが直面した「外国で勉強してきた人間に対する国内勉強組の嫉妬問題」は、やはりこの時期、特に女性に対して強く働いたと思います。そういう意味でも仲良し三人組には、自分たちの友情を常に確かめ合うことが大切だったのです。そしてこの三人に共通しているのは、みんな女性大学人協会に積極的にかかわったことです。これは当時、大学を出た、つまりそれぞれの国のエリートではあるけれど、国内だけではごく少数派だった女性たちを知的孤立から救う重要な組織で、欧米各国に支部があり、世界大会も存在していました。エレンはこの会の国際部の長にもなっています。彼女は平和活動にも熱心で、第二次世界大戦中は、母国がナチスに占領されたにもかかわらず、反ナチスの活動を行い、ユダヤ人を匿ったりしました。エリザベト・ロナ（一八九〇—一九八一）をはじめとした、亡命してきたかつてのキュリー研究室の仲間をアメリカに逃がす手伝いもしています。これは命がけの行為です。エレンは自覚的なフェミニストかつ社会主義者であり、その点はマリーのセーヴルでの教え子だったウージェニィ・フェイティス・コットンと似ているかもしれません。

仲良し三人組はマリーとの絆も大切にしました。ラジウム研究所を去ってからも、自分たちのこうした活動について、あるいはたまに誰かと会えることがあれば、その時の様子などをこまめにマリーに書き送り、マリーの方もその都度返事をしています。それはとても優しい手紙です。特にエレンの昇進に当たっては、マリーは自分の社会的権威を使ってでも、この優秀な弟子を援助しました。マリーにはこの三人組が誇りだったに違いありません。そしてこの三人、特にメイが決して研究をあきらめなかったのは、エレンとエヴァの存在が大きいと思います。それは今からお話しする、彼女たちと対照的なもう一人の女弟子の人生を見ていると、心からそう思うのです。

ハリエット・ブルックス——カナダのキュリー夫人

この時期、先の三人とは正反対のキャリアをたどった女性がいました。カナダ人科学者で、ソルボンヌでのキュリー先生が最初に受け入れた女性研究者、ハリエット・ブルックスです。推薦者はやはり放射能の研究者であった友人ラザフォードでした。ハリエットはマリーが大学教師になった年の夏、つまりまだソルボンヌで最初の講義をする前の時期にパリにやってきました。ですからマリーを除けば研究室の紅一点です。

そもそも「放射能」が、その性質が謎のままに発見されたのは一八九六年のことです。マリーが大学教員になったのは一九〇六年ですから、これはとても新しい学問分野なのです。ここで心に留めておいてほしいことは、こうした「新しい領域」というのは、女性をはじめとしたマイノリティ（社会的弱者）にとって、伝統的な分野より参加しやすいということです。コラム1でも触れましたが、マリーは自分が放射能研究に参加した動機を「誰もやっていないこと」で「参考資料が少ない——読まなければならない資料が少なくて済む」ことが魅力だったと述べていますが、これは伝統や先輩（全員男性）に気を使わなくていいということでもあります。つまりこの領域には「偉い（男の）大先生」が一人もいなかったのです。

マリーがピエールの後任になれたのも、先に述べたように、彼の妻だったからではありません。放射能の授業と学生指導ができる男性の研究者が、まだフランスに育っていなかったからです。マリーには、自分が頼れる（男性の）エキスパートもいませんでしたが、（男性の）競争相手もいなかったのです。ですから放射能は、その危険性もよくわかっていなかっただけに、科学を志す女性にとって、大変魅力的なテーマでした。現代では想像がつきにくいことですが、当時放射能の分野は女性研究者比率が高かったのです。

ハリエット・ブルックスは、その中でも特別に優秀な女性研究者でした。マリーより九歳年下ですが、マリーが高校卒業後に留学費用を貯めるため、ポーランドで何年も住み込みの家庭教師をしていたせいで、じつはハリエットが科学者として仕事を始めた時期は、マリーとそう変わりません。マリー・キュリー結婚三年目、つまり科学者マリー・キュリー三年目の一八九八年に、カナダの名門マッギル大学の女子部に当たるロイヤル・ビクトリア・カレッジを卒業したハリエットは、ラザフォードのところで放射能の研究を始めています。彼女はラザフォードが最初に指導した学生です。

もちろんこの時期、ラジウムはまだ単離されていません。わかっていたことは、ピッチブレンドの中に、ポロニウム、ラジウムと名付けられた未知の放射性新元素があるようだ、ということだけです。当時はっきりと放射性であるとわかっていた元素は、ウランとトリウムだけでした。ラザフォードは、まずトリウムから放射性の気体のような物質（トリウムのエマナチオン）が発生することに気が付きます。そしてラジウムからも同様のエマナチオンを確認します。彼はこれらの分析をハリエットに任せました。

ハリエットは一九〇一年の論文で、トリウムについては、エマナチオンは分子量四〇から一〇〇の放射性気体であると確認します。みんながこれを気体か蒸気か細かい粉末（固体）か判別できなかった時のことです。ラジウムに関しては、そのエマナチオンから、さらに新しく三種類の放射性物質（この時点では別の元素ではなく、ラジウムの別形態だと考えていたので、ラジウムA、B、Cと命名。じつはポロニウム、鉛、ビスマスの放射性同位体）が生じていることも発見しました。これらはみんな、「放射線」とは別のものです。そしてハリエットは、放射性物質からの放射線そのものも一種類ではないことが解明された時の、ラザフォードのチームにも属していました。彼らは、トリウム、ポロニウム、ラジウムからは二種類の放射線が出ている（現在のα線とβ線）ことを突き止めたのです。

こうした実験を進めていく中で、ハリエットの最大の功績、記念すべき一九〇四年の実験が行われます。銅板の表面にラジウムAの薄い層を析出させて、この板を試験容器の中に置くと、容器の内側が放射性になるという現象――のちに放射性元素の反跳現象と判明する――を発見します。この時点では、ハリエットだけでなく、ラザフォードもその原因あるいは正体を突き止めてはいませんでした。しかしこれらのデータこそが、コラム3で解説する、放射性元素の壊変のメカニズムや、同位体の発見に大きな役割を果たしたのです。ちなみに、一九〇一年の論文はラザフォードとの共著ですが、一九〇四年の反跳現象の観測論文は単著、つまりハリエットだけの業績です。ラザフォードは、こんなハリエットの才能と技術を称賛して「カナダのキュリー夫人」と呼びました。間違いなくハリエットは、ラザフォードの自慢の弟子だったのです。

女性研究者に対する偏見

これだけ聞くと順調なキャリアなのですが、じつはこのあと、ハリエットは女性であることでとてもつらい経験をしました。ハリエットはお嬢様ではなかったので、安定的な給与のある職を求めていました。そのためにカナダを離れて、一九〇四年の秋からニューヨークのバーナード女子カレッジの物理学教師のポストに応募し、みごと合格します。ところが、そこで働いていた一九〇六年の夏、婚約したという理由で学部長に辞任を要求されたのです。それは奇しくもピエールが亡くなって、マリーがソルボンヌ大学教員になった年でもありました。

当時アメリカの大学では、男性教師は結婚してもいいが、女性教師は結婚で退職しなければならないという規則、あるいは慣習がはびこっていました。つまり、家事も育児も女性の役目とされていたので、結婚したら女性は仕事に打ち込めなくなるから歓迎されず、男性は逆に雑用が減るから大歓迎というわけです。例外的に既婚女性の残留が認められることもありましたが、当時の学部長は頑固で、残留を希望するハリエットに対して激しく辞任を迫りました。

マリーの教員としてのキャリアが、当初から「キュリー夫人」の状態で始まったことを考えると、この二つの国の慣習の違いに驚いてしまいます。そもそもピエールはプロポーズの時に、自分と結婚してフランス人になったら、女子高校で働くことができる（ポーランドでなくても、当初の留学目的である物理教師になれるという意味）、とラヴレターに書いています。もちろん、セーヴルは高等師範学校で、バーナードは格上のカレッジという違いはあるのですが。でもやはり、女性の扱いについての仏米の違いはあったと思います。というのも、ハリエットとは逆に、パリを経てからアメリカに留学したエレン・グレディッチも、アメリカの女性差別に驚いているからです。それはラジウム研究所の特殊性や、ボルトウッド個人の差別的女性観を超えた、この時期の二つの国の文化的な違いでもありました。ハリエットは学部長の要求に悩み、結局婚約を解消するのですが、バーナードカレッジもやめてしまいました。よほどつらい思いをしたのでしょう。そんな時に尊敬するラザフォード先生から、パリのラジウム研究所に行かないかという話があり、ハリエットは承諾しました。

じつは一九〇六年のこの時期、バーナードのごたごたに悩んだハリエットは、社会改良主義者のプレストニア・アン・マーチン（一八六一―一九四五）や、ちょうど革命資金の獲得のためにアメリカに来ていたロシアの社会主義リアリズムの作家、マクシム・ゴーリキー（一八六八―一九三六）とその妻のグループに誘われて、行動をともにしていました。ハリエットがバーナードの辞職要求や、既婚女性に対するアメリカの大学の偏見について不平を言っていた証拠が、ゴーリキーの日記に残っています。ハリエットはゴーリキー夫妻と一緒にヨーロッパに発ち、その年の秋にパリに到着しました。

「先生の家」では何が起きるのか

ちょっと話がそれますが、ここでラザフォードとハリエットの師弟関係について少しだけ説明しておきます。ラザフォードはハリエットだけでなく、女性研究者一般を積極的に支援した珍しい男性科学者でした。

キュリー夫妻の研究にも早くから注目し、マリーとも仲良しでしたし、エレン・グレディッチに有用な助言をして感謝されたこともありました。

ただ、彼の妻はそういう人ではありませんでした。このことがラザフォードの周囲で、現代であっても、規則ではなかなか縛ることができないやっかいな問題を引き起こしました。たとえば男性教授のホームパーティを考えてみましょう。そこで先生の奥さんが夫の弟子に何か頼むことはありえます。その時に、大切なことは男子学生に、雑用は女子学生にばかり頼んだとしたらどうなるでしょう。これをするのは男性教授ではありません。あくまでその妻です。けれどもここは教授の家なのです。そう考えると、これは広い意味での「教育」になってしまいます。しかもラザフォードは、家に弟子を呼んで、実験室での話をするのが大好きでした。マリーの弟子より、ラザフォードの弟子の方が、先生の家に行く確率が高いのです。

そして先生の家にいる奥さんは、女性の幸せとは結婚して子どもを産み、家庭を築くことだという考えの持ち主でした。当然、夫の弟子に対するラザフォード夫人の態度は相手の性によって変わってきます。どれほど夫がその女性の業績を褒めても、結婚していない限り、夫人にとってその女性は半人前です。あるいは結婚したら、子どもを産んで家庭をちゃんと管理しているかどうかだけが、その女性への評価基準になります。夫が評価するキュリー夫人は、多分この妻にとっては別格の、彼方に輝く星であり、身近に接する女子学生に、マリーのような将来を当てはめることはなかったのでしょう。

少し先の話になりますが、なんとラザフォード夫人は、エレン・グレディッチがアメリカに留学する時に、夫の友人だったボルトウッドに対して、女であるという理由だけで、エレンを馬鹿にしたような手紙を書いているのです。ですから夫人がハリエットをどう見ていたかは、推して知るべしでしょう。「先生の奥さん」からこうしたまなざしを受け続けることは、女性研究者にとって大変疲れるものです。研究室では平等でも、家に行くと差別されるのです。そしてたいてい「男の先生」は、自宅でのこの弊害に気が付きません。加えてラザフォード家では、男弟子はみんな夫人のもてなしに喜んでいるのです。こんな雰囲気の中では、女弟子が自分の口惜しさを吐露することなど不可能です。

女性の弟子にとっての「キュリー先生」のありがたさはここです。マリーの自宅で、突然男女の弟子への扱いが変わるはずがありません。あとで詳しく述べますが、そもそも弟子の一人で娘でもあるイレーヌの不愛想な態度は、当時の女らしさの規範を完全に逸脱した行為です。あんな態度でもいいのなら、女弟子たちは気が楽です。のちにマリーの孫弟子になる、日本人物理学者の湯浅年子が、イレーヌを含めたラジウム研究所の女性たちの態度を「自然だ」と羨望を込めて書き残していますが、この自然さは、「キュリー先生」が可能にしたものです。マリーは研究だけを見つめていました。彼女が厳しいのは教え子の研究態度にだけです。ここには「ラザフォード夫人」のような人はどこにもいません。

仕事と家庭の狭間で選んだ道

それではキュリー研究室でハリエットはついに解放されたのか、というとこれが答えにくい問題なのです。ハリエットは、パリでマリーの片腕だったアンドレ・ドビエルヌ（一八七四―一九四九）たちと共同研究を行い、再び反跳現象を確認します。マリーからも、研究室のメンバーからも高い評価を得ました。ハリエットの腕を見込んだマリーは、給費はこちらで持つから、もう一年ここで仕事をしないかと持ち掛けます。大変な名誉でした。しかしハリエットはマリーに、再びラザフォードと研究するために、半年ほど前から師が所属していたイギリスのマンチェスター大学に行くと答えました。非常に権威ある奨学金も出るというのです。イギリスの話の方が経済的にも有利ですし、言葉も母語の英語ですから、それも当然かと思うのですが、びっくりするのはここからです。

一九〇七年五月にイギリスに渡ったハリエットは、いきなり、昔ラザフォードの研究室で助手をしていて、今では大企業のエンジニアになっていたフランク・ピッチャーと婚約し、イギリスでのポストも奨学金も辞退して、科学者をやめたのです。ちなみにフランクは、バーナード女子カレッジの時の婚約者とは別の男性です。結婚してピッチャー夫人となったのは、イギリスに渡った二か月後の一九〇七年七月、周囲の研究者たちが皆、この先のハリエットの仕事に期待していた矢先でした。エレン・グレディッチがマリーのところに来たのはこのすぐ後です。

いったいハリエットに何が起きたのでしょう。女性が結婚や出産・介護で研究をやめることは、当時としては珍しいことではありません。マリーの弟子にも、そうした女性は他にも何人かいます。しかしたいていの場合、この手の女性たちは、キャリアの早い時期、要するにまだなんにもめぼしいことをしていない時期に研究所を去っています。皆が激賞するような業績を上げた後でやめたのはハリエットだけです。マリーはこういう時に何も言わないタイプでしたが、きっと心の中では「惜しい」と思ったに違いありません。

こうしてハリエットは高給取りのエンジニアの奥様、つまり中流階級の専業主婦になりました。裕福な家の出ではないので、玉の輿と言ってもいいでしょう。彼女はこの後、高収入の夫を持つ高学歴の専業主婦が行う典型的な知的活動に積極的に参加していきます。エレンたちが入っていた女性大学人協会カナダ支部の活動もその一つです。この組織は、仲良し三人組同様、ハリエットにとっても大切なものとなりました。

科学の知識を豊富に持ち、ヨーロッパの事情にも詳しいピッチャー夫人は、いわゆる市民、あるいは有閑女性向けの科学講座の人気講師となりました。特にキュリー夫人はカナダでも大人気の有名人でしたから、そこで研究した経歴を持つハリエットの話を聞きたい女性はたくさんいました。ハリエットはそうした講演でマリーを褒めたたえました。それ自体は不思議でもなんでもありません。しかしその同じ講演で、ハリエットは他の女性科学者、特に自分と同じ女性物理学者たちを無視してかかります。彼女の講演を聞いた人は皆、物理学史に登場する女性は、キュリー夫人しかいない、という印象を受けたに違いありません。

これは不当な評価です。マリーの数少ない女性物理学者の友人で、アーク放電の研究者ハーサ・エアトン（一八五四―一九二三）はどうなのでしょう。何よりも自分自身の業績があるではありませんか。エレン・グレディッチのラジウムの半減期の発見はどうなるのか。それともエレンの仕事は化学者のものだとでも言いたいのでしょうか。そもそも一般向けの講演で、しかも放射能の分野で、化学と物理を厳密に分ける必要などないでしょう。師であるマリーがその証拠です。ノーベル物理学賞と化学賞の両方をもらっているのです。そして誰よりも尊敬しているラザフォード先生もまた、物理学者なのに化学賞をもらっているのです。ハリエットがそのことを知らないはずがありません。これは意図的な隠ぺいです。放射能の歴史に残る発見をした女性自身が行った、自分を含めた女性に対する、差別的隠ぺいなのです。

キュリー夫人に対する過度な称賛の意味するもの

こうした経緯をたどった上で私が思うのは、ハリエットはそれまでの人生で本当につらい思いをしたんだろうな、ということです。特にバーナード女子カレッジの対応が彼女の心を深く傷つけたのでしょう。あるいはそれ以前の、カナダでの家族との軋轢もあったのかもしれません。彼女の出身家庭は、当時のカナダの平均的な女子大生の家より貧しく、「職業を持つ女性」に対していいイメージを持ってはいませんでした。こうした環境がハリエットを「非常に控えめな」、言い換えれば「自分を卑下する」性格にしてしまったのかもしれません。ハリエットの私的な文章には、非常に自己評価の低いものが多いのです。

大科学者ラザフォードが「カナダのキュリー夫人」と絶賛した才能、そして当のキュリー夫人からも滞在の延長を望まれた才能を、ハリエット自身が認められません。ここには励まし合える仲良し三人組のような仲間も、ポーランドの栄光と独立のために自分たちの才能と教育を無駄にしてはなるものかと結束し合う家族や同胞の絆もありません。ハリエットはいわば、裸で、たった一人で、武器もなく、はりねずみでいっぱいの檻の中で戦えと言われているようなものです。これで戦える人などいないでしょう。

ピッチャー夫人は模範的な中流の教養ある奥様としてその後の人生を過ごしました。きっと彼女の精力的な慈善活動で救われた人も多かったと思います。ただ、科学を捨てて選んだ「家庭」という制度の要でもある子どものことで、とてもつらい思いをしました。一三歳で長男を、一八歳で長女を、それぞれ病気と事件で亡くしたのです。唯一の子どもとなった次男は、ハリエットが五六歳で死んだ時、母は若い時の放射能研究のせいで白血病になったと語っています。恩師ラザフォードはこの訃報に接し「こんな風に言うのは悲しいことだが、彼女の家庭生活は、驚異的な忍耐力で耐え忍ばねばならない試練の連続だった」と知人に書き送り、雑誌『ネイチャー』には、「ハリエット・ブルックスは放射能研究の最初の時代に、オリジナルな貢献をした優秀な科学者だった」という趣旨の、心からの追悼文を載せました。

多彩な女弟子たち――公爵夫人から母国の同胞まで

この時期にキュリー先生の研究室に来た一〇人の女性のうち、残りの六人についても簡単にお話ししたいと思います。少数派のフランス人三人は、リュシー・ブランキエ、シュザンヌ・ヴィーユ（一八八六―一九五六）、アリス・スクヴァール（一八八五―一九三二）です。

リュシーはセーヴルの卒業生で、年齢は下ですが、ウージェニィの先輩に当たります。ですからセーヴル時代にマリーの教えを受けたわけではありません。一九〇一年に、マリーも取得していた女子中等教育教員資格を、翌年には女子用の数学のアグレガシオンを取得したあと、ヴェルサイユの女子リセの先生をしながら、一九〇八年から一年間ソルボンヌのキュリー研究室で、アクチニウムという放射性元素の研究を行いました。リュシーはこの時に発表した論文で、ハリエット・ブルックスの研究成果を引用しています。その後は女子コレージュの先生やアカデミーの吏員になりました。一九五七年に行われたマリー・キュリーのソルボンヌ初講義五十周年記念祭（じつは五一年目ですが）では、エレンたちと一緒に実行委員会に入っています。

シュザンヌは博士号取得のために、一九一二年にキュリー研究室に来たユダヤ系のフランス人です。ところがこの研究中に第一次世界大戦が始まってしまいました。その間は、次の第三章で詳しく述べますが、マリー主導の女性放射線技師養成学校で教鞭をとっています。戦後はマリーの友人科学者の研究室に入り、放射能というより、金属酸化物の研究で博士号を取得しました。シュザンヌは、第二次世界大戦中のユダヤ人迫害の時期を除いては、常に研究者の道を歩み続けました。

アリス・スクヴァールは、一九一一年にベルギー初の女性博士になり、そのあと一九一三年から一年だけパリに来た、ベルギー生まれベルギー育ちのフランス人です。ですからアリスの基本的な活躍場所はフランスではなくベルギーです。パリの後にはアメリカにも留学し、ベルギーで女子高校の校長になりました。ベルギー女性大学人協会にも加わり、最後まで熱心に活動しています。きっとグレディッチたち三人組との再会や協力もあったに違いありません。

そしてこの時期、マリーはかつての自分のような存在、つまり「東」からきた三人の女性を受け入れています。オーストリア・ハンガリー二重帝国生まれのハンガリー人イレン・ゲッツ（一八八九―一九四一）、ロシア生まれのポーランド人ヤドヴィガ・シュミット（一八八九―一九四〇）、ロシア貴族の令嬢マーガレット・フォン・ランゲル（一八七六―一九三二）です。そしてこの「東」の女性たちは、第一次世界大戦とロシア革命の中で激しく変動する国境同様、激動の人生を生きることになります。

イレンは一九一一年に母国で博士号を取得したのち、一九一二年までの一年間をキュリー研究室で過ごし、ラジウムの分解物について研究しています。帰国後はブダペストで研究所に勤務しますが、革命の予感の中で、ハンガリー共産党の創始者ディーネスと結婚し、自身も入党します。一九一八年にハンガリー民主共和国が誕生して、ハンガリー初の女性教授となるのですが、共産党政権の瓦解後は夫子とともにルーマニアに亡命して、ブカレスト大学に勤務します。のちにファシズムの台頭でソ連に亡命し、そこでも科学者として働くのですが、陰謀に巻き込まれて一九四一年に逮捕され、釈放後に死亡しています。

ヤドヴィガは一九一一年のソルボンヌ大学留学時に、キュリー研にいたポーランド人のジャン・ダニッツと知り合い、マリーに紹介されます。キュリー研究室で実験指導を受けたのちはロシアに戻り、女子中等学校の教師と研究生活の二足の草鞋を履いていました。一九一三年にはイギリスのラザフォードの研究室でも放射能研究を行い、帰国後は物理技術研究所の研究者になり、国がソ連になっても職場は変わりませんでした。一九二三年には同僚のチェルニシェヴと結婚、夫婦でオシログラフの技術開発に携わります。晩年は得意な語学を生かしてロシア語の論文をヨーロッパ主要国の言語に翻訳する仕事に精を出し、ソ連の科学アカデミーに評価されました。

異色の存在はマーガレットです。エストニアでロシア貴族の令嬢としての生活を送っていたのですが、化学を志していた兄の早世をきっかけに、自身が化学を志します。当時のロシア帝国は女性の大学入学を認めていなかったため、一九〇九年にドイツのチュービンゲン大学で博士号を取得します。それからロンドンのラムゼー研究所でトリウムについて研究したのちに、一九一一年から一年間、マリーの研究室で放射能について学びました。一九一二年のエストニア帰国後は、どちらかというと農学の専門家となり、農業試験場の指導をします。ここにロシア革命が勃発するのです。貴族だったマーガレットはドイツに亡命し、やはり農業試験場に職を得て、農業化学部門の指導者となります。大学でも教鞭をとるようになり、ドイツ政府は彼女に植物栄養学の研究所を任せるまでになります。一九二八年には幼馴染みだったアンドロニコフ公爵と結婚し、マーガレットは公爵夫人となりますが、一九三二年に亡くなるまで仕事は継続しました。公爵は早世した妻の死を悼み、三年後に自ら妻の伝記を出版しました。

こうして、教授であるマリーただ一人が女性だったところから出発して、さまざまな女性研究者を受け入れたソルボンヌのキュリー研究室は、出たり入ったりしているエレン・グレディッチを除けば、シュザンヌ・ヴィーユ一人がとどまっている状態で、残りの男弟子たちとともに、新設のラジウム研究所に移転します。

コラム3

放射能研究の広がり――ラザフォードと放射線の正体

マリーの厳密な定量的実験によって放射能現象は、放射性元素の原子が持つ物理的性質であること、つまり外からの働きかけはまったく必要のない自然現象であることが明らかになった。そして、最初に述べたエネルギーという問題から見ると、恐るべき可能性を秘めた現象であることも判明した。ほんのわずかの放射性物質から、光が放射されているのである。しかもラジウムからは熱の発生も観測されていた。その莫大なエネルギーはどこから来るのか。放射線の正体は何なのか。新しい放射性元素の発見と並び、こうしたことがらの解明もまた、新しく重要なテーマとして科学者たちの好奇心を駆り立てていった。マリーはこちらの方面には手を出さなかったが、夫のピエールが探求を始めていた。

ウランだけではない、そもそもの陰極線についても、その正体を探ろうという研究は常に存在していた。さらに、陰極線とウランからの放射線の類似ということも問題にされていた。X線についてもしかりである。最初に解明されたのは陰極線である。

レントゲンが実験を始めたころに、学者の間では陰極線の正体をめぐって二つの説――負に帯電した粒子の流れ説とエーテルの波説――が立てられていた。電磁波を最初に観察したドイツのハインリヒ・ヘルツ（一八五七―一八九四）は波動説を支持していた。ヘルツは陰極線が金や銀の薄膜を透過することから、粒子ではありえないと主張した。弟子のフィリップ・レーナルト（一八六二―一九四七）がこの方法を推し進め、陰極線はアルミ箔を透過するので、絶対に粒子ではありえないと述べたのである。一八九四年のことだった。

しかしイギリスでは粒子説が有力だった。分光学者のアーサー・シュスター（一八五一―一九三四）は、陰極線は負に帯電した高速の粒子だと主張していた。彼は一八九〇年ごろに、磁場によって曲がるこの放射線の性質を利用して、陰極線粒子の質量に対する電荷の比、いわゆる比電荷を求めることが可能であると主張した。J・J・トムソンことジョゼフ・ジョン・トムソン（一八五六―一九四〇）がこの可能性を一歩進める。彼は一八九四年に陰極線の速度を測定し、光速とのあまりの違い（二〇〇〇分の一）から、これは波ではありえないと主張した。翌一八九五年には、キュリー夫妻の友人でもあるフランスのジャン・ペラン（一八七〇―一九四二）が、陰極線を金属箱に受けて、それが負の電気を帯びることを発見した。これはシュスターの「負の電荷を帯びた粒子説」を後押しするものである。

一八九五年というのは、先にも述べたがレントゲンがX線を発見した年である。X線の性質は陰極線と似ているが、まったく同じではない。科学者たちはこちらの正体についても、それを見極めようと観察を続けていた。トムソンは発見者のレントゲンより先に、X線が気体を電気伝導性にする性質を持っていることを発見した。じつにマリー・キュリーがウランからの放射線の強度測定に使用したのも、この、空気の電気伝導の現象である。そして一八九七年、先に述べたように陰極線の探求も進めていたトムソンは、ついに電場と磁場による陰極線の曲がりの測定から比電荷を求め、これが電子の発見へとつながっていく。

なぜ比電荷を求めることが電子の発見につながるのだろう。じつはトムソンは、レーナルトがこれこそが陰極線が波である証拠だと主張した、金属の薄い箔を通過するという現象を、まったく反対の意味に解釈したのだ。トムソンは、原子よりずっと小さい負に荷電した粒子というものが存在し、それが陰極線の構成要素で、金属箔を通過するほど小さいと考えたのである。じっさい、比電荷の値から推定されるこの粒子の質量は、一番軽い元素である水素の原子よりずっと軽いのだ。さらにトムソンの発想の素晴らしいところは、この粒子は特別な物質ではなく、すべての原子の構成要素の一つだと考えたところである。じっさい、磁場で陰極線を曲げた時、電位差が一定の下では、装置の中の残留気体の種類に関係なく、その曲がりが常に一定というのも、この粒子がすべての原子に共通する、原子よりはるかに小さい粒子であることを示唆していた。これはそこら中にある粒子なのだ。

トムソンの弟子で、当時イギリス領だったニュージーランド出身のアーネスト・ラザフォード（一八七一―一九三七）も、放射線の正体を探る研究に参加していた。イギリスからカナダに移り、ちょうどモントリオールの研究室にハリエット・ブルックス（一八七六―一九三三）がいた一八九七年ごろだ。ラザフォードはウランからの放射線が二種類あることに気づいた。透過力が小さく当時の技術で製作可能だった弱い磁場では曲げられない線と、透過力が高く磁場で曲がる線である。この証明にはブルックスも大いに貢献している。ラザフォードはこの放射線をα線、β線と名付けた。キュリー夫妻がポロニウムとラジウムの存在を確定した一八九八年以降には、これら二つの新元素からの放射線も研究対象になる。ピエールもまた、ラザフォードたちと同じ興味関心を持っていた。マリーが激しい執念でラジウムの単離へと突き進んでいた時、ピエールは妻に協力する傍ら、放射線そのものの正体の解明にも取り組んでいたのだ。

一八九九年から一九〇〇年にかけて、ピエールはラジウムからの放射線を分析し、ウラン同様α線とβ線が放射されていることを突き止めた。しかもβ線は負に帯電した粒子であることも確かめた。ここにベクレルが再登場する。ベクレルはβ線と陰極線の比電荷が同じ値であると確認したのである。なんと、自然物であるラジウムからの放射線の一つと、人工的に作られる陰極線とが同じものだったのである。ちなみにγ線については、その発見は一九〇〇年だったが、これがX線と同じ電磁波であることが判明したのはだいぶん後の一九一四年である。

ただし、電子という名前を考え付いたのはラザフォードでもピエールでもない。アイルランドの物理学者ジョージ・ジョンストン・ストーニー（一八二六―一九一一）である。ストーニーは、電気の基本的な単位量に当てはまる言葉として、一八九一年に「電子（electron）」という言葉を作っていた。これがラザフォードの発見した極微の粒子に当てはめられることになる。

やがて多くの科学者は、原子には内部構造があることを確信するようになり、γ線が電磁波だとわかったころには、皆がこの、ラザフォードが発見した粒子、β線の粒子を電子と呼ぶようになっていた。

そしてラザフォードが見つけたのは電子だけではない。彼はブルックスや助手のフレデリック・ソディ（一八七七―一九五六）と、トリウムについても研究していた。というのもトリウムはウランと違い、そこから何か放射性の気体のようなものが出ているように見えたからである。これはトリウムのエマナチオンと名付けられ、ブルックスも含め、その性質が検討された。この間トリウムから放射されるα線についても調査が進んだ。前よりも強力な磁場を作ることができるようになった一九〇二年、彼らはこの強い磁場によってα線を曲げることに成功し、α線はβ線よりはるかに重い、正に帯電した物質粒子だということが明らかになった。となると、それがα線であれβ線であれ、放射線を出すという現象は、質量のある物質が原子から出ていくことを意味していた。非常に微量ではあるが、放射性物質は放射線を出すことで、質量を減少させていたのである。一九〇三年、ラザフォードとソディは、放射性物質は荷電性物質粒子から成る放射線を放出し、別の物質に変化する、つまり放射能とは元素が転換する現象なのだと宣言した。自然は錬金術師だった。放射性元素を構成する原子は変化し、別の元素が誕生していた。

かつてマリーやピエールが学生だったころ、原子とはすべての物質を形作る硬い究極粒子で、そこにはいかなる内部構造もない、だから変化などありえないと教わっていた。いや、それどころではない。一九世紀の末になっても、原子は物質を理解するための便宜上の概念にすぎず、実在するものではないと公言する、マルスラン・ベルトロ（一八二七―一九〇七）のような「大御所」の科学者すら存在していたのだ。じっさい、このベルトロはフランスの偉人とも呼ばれ、マリーが落選したパリ科学アカデミーの重職である終身書記に選ばれた人物でもある。

ところが今や、原子の中でも一番軽い水素原子より軽い粒子が発見され、原子の存在は疑いようのないものとなった。β線が万物に共通の粒子であり、α線を放出した元素が変化するなら、それらは原子の中でどのように配置されているのだろう。かくして科学者たちの心に、「原子の構造」という新しい問題が提起される。いったい原子の中はどうなっているのだろう。

第三章

研究所が完成したのに——第一次世界大戦の衝撃

戦争が始まった!

パスツール研究所とソルボンヌ大学の協力で、ラジウム研究所の建物が少しずつ完成されてゆきます。この二つの組織だけではありません。たとえば、ソルボンヌ大学でのマリーの初講義の時に、大きな帽子を被って聴講に来たあの貴婦人、グレフュール伯爵夫人も資金集めに協力していました。マリーの計画は多くの人々に期待されていたのです。これはピエールの悲願の実現、いえ、もっと遡るなら、この研究室の完成は、マリーにとっては、ロシアの圧力で実験の授業ができなくなった物理教師である父の無念をも晴らすことになるのです。建物に囲まれた中庭に植える木の選定まで自分で行い、マリーはその完成を心待ちにしていました。たった二つの小さい部屋ですし詰めになって実験していた弟子たちも、やはりこの研究所の完成を待っていました。もうすぐ広くて設備の整った研究所で思いっきり研究できるのです。しかし、運命はラジウム研究所にそれを許しませんでした。開所式からひと月もたたない一九一四年八月三日、ドイツはフランスに宣戦布告します。第一次世界大戦が始まったのでした。

研究所の男たちは、心臓病のある機械技師のルイ・ラゴー以外、全員戦場に行ってしまいました。そこにはピエールの兄から預かっている、大切な甥のモーリス・キュリー(一八八八—一九七五)も含まれています。その上、あんなにたくさんいた外国人の研究者も国に帰ってしまいました。できたばかりのラジウム研究所は、突然、フランス女性ばかりの施設になってしまいました。それではここは開店休業になったのでしょうか。いいえ、そんなことはありません。もちろん残っていた女性研究者は研究を続けましたが、その他ここには、別の形で「キュリー先生」の女生徒が増えることになりました。女性X線技師の養成学校になったからです。

そもそもラジウムが医療にも役立つというのは、マリーの誇りでした。というのも、長姉をチフスで、母を結核で失い、兄と次姉が医者になった彼女は、常に医療に深い関心を抱いていました。ですから、マリーはこの戦争に自分の科学的知識を役立てたいと思っていました。一番役に立ちそうなのがX線です。戦争で傷ついた兵士たち、特に銃弾が体内に入っている兵士に施される当時のいいかげんな外科治療は、レントゲン写真を撮ることさえできれば、格段に精度を上げることができるのです。

政府も放射線の戦時利用については考えていたのですが、マリーは政府の想像をはるかに超える組織を立ち上げました。すべての病院にX線の装置があるわけではないので、全土にちらばる、戦傷者が運ばれてくる病院で勤務可能な、移動X線治療チームを組織しようとしたのです。そのために慈善に熱心な上流階級の女性たちに頼んで、X線治療車として使える車を提供してもらいました。これらの車はのちに、プティット・キュリー号と呼ばれ、兵士たちから歓迎されました。この時一番の問題は、X線の技術を持つ専門家の数でした。当時はまだX線専門の技師はおらず、装置のある病院なら技術を持っている医師がいる、という状態でした。マリー自身はX線の仕組みをよく知っていますが、一人でその他の病院すべてに赴くことなど不可能です。医師以外でも、正確なX線撮影を行うことのできる技師がたくさん必要です。

そこで空きスペースができてしまったラジウム研究所を、即席のX線技師養成学校に変身させます。生徒は女だけでした。そもそも男は兵士として出払っていましたし、軍との縄張り争いを避けるためにも、戦時のにわか看護師になっていた女性たちを教育して技師にしようと考えたのです。ここでセーヴルでの教職経験が役に立ちます。いえ、もしかしたらもっと昔の、まだ二十歳にもならない住み込みの家庭教師時代に、貧しい子どもたちに無料でポーランド語の読み書きを教えた時の記憶が蘇ったかもしれません。

なんの科学知識もない、「貴婦人から掃除婦まで」といった、社会階級も年齢もまちまちな女性たちに、マリーはX線の知識を教え、装置を使いこなせるようにしたのです。研究所に残っていた女性の弟子も先生を手伝います。ここからも、「キュリー先生」が有能な教師だったことがわかります。そしてこの、にわか生徒に教えたにわか教師の中から、将来勲章をもらうような看護師が誕生します。

赤十字に叙勲された女弟子

マドレーヌ・モナン（一八九八―一九七六）は、エッフェル塔を作ったギュスターヴ・エッフェル（一八三二―一九二三）の仕事仲間を父に持つ、技術者の娘です。父がエッフェル塔の建設にかかわったというのは、マドレーヌの誇りでした。小学校の教員免許を取得後、さらなる学問を修めるために一九一六年にソルボンヌ大学に入学します。そこで理学士を取得。一九一七年にはラジウム研究所の入所を希望しました。第一次世界大戦の最中でしたから、自動的に女性X線技師の指導にかかわることになります。マドレーヌはマリーやイレーヌと一緒に、X線の授業を受け持ちました。しかしそれだけではありません。彼女は放射線源の測定サービス部門の仕事も始めます。

ここで少しだけラジウム研究所の組織について追加説明します。「はじめに」で、ここには基礎研究部門と、医学・生物学研究部門があると書きましたが、より正確に言うと、建物は三つあり、これら二部門に一棟ずつ割り当てられ、三つ目の小さい建物には放射線源測定サービス部門が置かれました。管理者は基礎研究部門の長、つまりマリー・キュリーです。ソルボンヌ時代に、マリーはラジウムから放出される放射性気体であるラジウムのエマナチオンを測定することで、もとの物質に含まれるラジウムの量を見積もる方法を考案しました。

この測定部門というのは、マリー考案のこの方法を用いて、世界中の研究機関や病院から送られてくる放射性物質に含まれるラジウムの含有量を測定し、その結果を記した証明書を発行する部門です。これが必要になったのは、純粋科学の問題というより、ラジウムが医療に応用されるようになったからです。マドレーヌはこの測定の仕事を任されたのです。

戦後に同僚のモリニエと結婚してモリニエ夫人となり、子どもも生まれます。一九二一年にはいったん研究所を離れて家庭に入るのですが、家計のためもあって、社会福祉の仕事につくことになります。夫のモリニエはトロツキストの共産主義者で、生活費が不安定になっていたからです。ここでマドレーヌは、戦争中の経験からでしょうか、働きながら正規の看護師資格を取得するのです。こうして看護関連の複数の資格を取得後、赤十字の診療所などで看護師として働き始めました。この、放射能やX線についての高い科学知識を持った異例の看護師は、のちに第二次世界大戦で大活躍をすることになります。兵士を毒ガスから守る方法などを考案して、軍の高い評価を得るのです。第二次大戦後は、現場の仕事に加えて看護師養成にもかかわり、病院の技術部長にもなります。これらの活躍が認められ、赤十字などから複数の勲章を授けられ、一九七六年に七八歳で死去します。自分の受けた教育や、初期の職業経験をみごとに生かしたキャリア形成と言っていいでしょう。

ただし、マドレーヌの、当時としては長い寿命は、この経歴では例外的なものです。放射線源の測定サービス部門の仕事はじつは大変危険なものでした。ここにいて体を壊した研究者は多いのです。加えて第一次世界大戦時の女性X線技師たちの多くは、この仕事で被ばくし、のちに健康被害に苦しむものが何人も出現しました。一番有名なのは、最後に述べるイレーヌ・キュリーです。晩年に白血病になった時、本人は何も言いませんでしたが、夫で共同研究者のフレデリック・ジョリオ（一九〇〇―一九五八）は、「妻の病気はラジウム研究所での放射能研究のせいではなく、戦争中のX線の仕事のせいだ」と繰り返し主張しました。X線とは関係のないフレデリック自身が、この二年後に放射線被ばくが原因の肝臓病で亡くなり、しかも最後までそれを認めようとしませんでしたから、このセリフは差し引いて考える必要があります。しかしイレーヌが第一次世界大戦でX線被ばくをしたのは事実です。このころの写真が残っていますが、彼女はいわゆるナースの白衣を着ているだけで、なんの防御もしていません。それで前線を走り回ってX線の装置を動かし続けたのです。

ですから、この時「キュリー先生」の愛国心に感動して、自分も戦時協力を、とX線技師を目指してラジウム研究所に殺到した女性たちは、兵士になれない女も国のために尽くすことができるという自信と、きちんとした指導さえあれば女でも科学知識を得られるという確信は得ましたが、X線もたくさん浴びてしまいました。健康で長寿を全うしたマドレーヌはじっさいのところ、とても運が良かったケースだと思います。

二人のフランス女性

この時期には、あと二人のフランス女性がラジウム研究所に入所しています。一人は、研究者というよりX線技師学校の教師になるためであり、もう一人はラゼ夫人と呼ばれた秘書です。ラゼ夫人はマリーが死ぬまでここで働き、すべての研究者とコンタクトを持っていたので、教師でも研究者でもありませんが、述べておく価値があると思います。ラゼ夫人ことレオニ・ペトリ（一八八四―一九五〇）は労働者階級の生まれで、高い教育は受けていません。たまたま結婚相手がキュリー夫妻の研究協力者ジャン・ピエール・ラゼだったのです。つまりマリーのことは昔から知っていました。ところがこの夫が、第一次世界大戦の最中の一九一六年に死んでしまいます。多分放射線障害ではないかと言われています。

レオニ同様、二人の子どもを抱えたシングル・マザーだったマリーは、自分の秘書にならないかと彼女にもちかけます。こうしてこの女性は、マリーからイレーヌまでの、三代のラジウム研究所の所長秘書を務めます。研究所はこじんまりしていたので、レオニは所長だけでなく、ここにやってくるあらゆる研究者、あるいはマスコミや役人などの応対も一人でこなしました。あとで述べる日本人研究者の一人、小野田忠（一八九四―一九八二）の最初の手紙に、マリーの代理で返事を書いたのもレオニです。きっかけは戦争ではありませんでしたが、ラゼ夫人レオニは、数の上では、戦争中に職を得て社会進出した多くのフランス女性の一人となりました。

もう一人のフランス人女性は、マルト・クラン（一八八五―一九五三）というセーヴルの卒業生です。つまりウージェニィたちの後輩です。マリーは自分がセーヴルを去っても、女子学生たちが高いレベルの科学を学ぶことができるように段取りをつけ、これによって物理や数学のアグレガシオンを取るセーヴルの女子学生が増加しました。一九〇五年入学のマルトも、少しだけマリーの授業を受けた経験があります。一九〇八年には女子のための物理学のアグレガシオンに一番で合格しましたが、すぐには先生にならずに、フランスの他の大学で学業を続け、一九一三年度には奨学金を得てイギリスのケンブリッジ大学に留学しています。帰国してから大学の研究員やリセの教員をしたあと、マリーの志に惹かれ、一九一七年からラジウム研究所にあるX線技師養成学校の教師になり、かつての師と一緒に働きました。休戦条約調印の日には、マルトはマリーと一緒に青、白、赤の布を買いに行き、雑用係の女性に縫ってもらってフランス国旗を作り、ラジウム研究所の窓に掲げてから、X線治療車に乗って戦勝パレードに出かけていったと、次女のエーヴ（一九〇四—二〇〇七）が母の伝記に書いています。先に述べたシュザンヌ・ヴィーユも、きっと一緒だったに違いありません。

戦後はリセの教職に戻り、ウージェニィの同僚だった物理学者のヴェイスと結婚します。そして夫がストラスブール大学に転任することになり、夫妻はストラスブールに引っ越しました。ここでマルトのキャリアはいったん切れるのですが、一九三二年から再びリセで物理の教員として働き始めます。第二次世界大戦では、フランス東部は危険ということで、自由フランス地域リヨンのリセに移り、戦後の一九五一年までリセ教師として勤め上げました。

戦争の英雄――イレーヌの愛国心とプライド

最後に、正規ではないのですが、実質的にこの時期にラジウム研究所に入所し、X線技術者養成とソルボンヌ大学の理学士試験勉強の両方をこなした女性がいます。マリーの長女イレーヌです。正式入所は戦後なので、イレーヌについては次の章で詳しく述べるということで、ここでは戦争中までのことだけをお話ししたいと思います。

一八九七年にキュリー夫妻の第一子として生まれたイレーヌは、研究に没頭する両親の傍ら、いわば温室のような環境で育っていました。父と祖父の死後は、もともと狭かったキュリー家の交際範囲はますます狭くなり、温室傾向に拍車がかかります。そもそも、医者の息子のピエールと、教師夫妻の娘のマリーの親戚や友人たちのほとんどは、当時としては例外的に高い教育を受けた人々です。資産はともかく、社会階級として見るならば、ポーランドでもフランスでも中流階級以上の人です。シッターをしてくれたウージェニィだって、未来のセーヴル校長です。イレーヌは、そうした人たちだけを相手に、高校生までの時期を過ごしてきました。それが戦争でひっくり返ったのです。

おそらく、X線技師養成学校で、イレーヌは生まれて初めて「貴婦人から掃除婦まで」といった、雑多な集団と直接対話する機会を持ったのです。ただし、これは女性だけですし、もともと素人で、まともな教育を受けた人は少数であることが最初からわかっている集団です。ですから彼女たちが科学に無知でもそれは当たり前ですし、年齢がどうあれ、この女性たちはマリーだけでなく、イレーヌやマドレーヌたち専門家に敬意を払っていました。それに、少しでも国のために役に立ちたいという熱意に満ちた集団です。マリーもそうですが、イレーヌもこの女性たちの真剣な態度や学習の習熟度に感心しています。

イレーヌを心から驚かせたのは、むしろ雑多な男性集団、つまり戦場の男たちでした。というのも、マリーもそうですが、イレーヌは養成学校の教師をしていただけでなく、野戦病院にも赴いて、そこの医療スタッフにX線撮影の指導を行い、また一X線技師として外科手術の手伝いもしていたからです。この、早熟で科学的精神にあふれた少女は、すでに高度な幾何や代数を自在に操り、X線の仕組みを完璧に理解して、機械の操作を手際よくこなせるのです。イレーヌは病院で、自分よりずっと年上で、軍医や軍曹といった御大層な肩書をひけらかしている男たちの、あまりの学力の低さや、馬鹿げた官僚主義に唖然とします。たとえば母親に宛てて、ある男性医師の「無知」について、こんな風に書き送っています。

私たちは〔X線の〕乾板撮影と多軸法とをやっていました。V氏に多軸法を理解させるのは大した苦労でした。軸が実際の負傷者の上にあるあいだはよくわかるのです。私ならそれを紙に描写することができるのですが（つまり、三辺の長さがわかっている三角形を描く問題です）、それが〔V氏には〕本当にたいへんこみいったことになるらしい。実際、彼は幾何をまったく知らないのではないかと思えるほどです。転移法に使う計算さえ確実にやれません。

（M&I・キュリー、一九七五、一四二頁）

イレーヌ・キュリー（前列左から２人目）とシュザンヌ・ヴィーユ（左端）　ラジウム研究所でのＸ線技師のための授業風景　1917 年
〈所蔵：Musée Curie（coll. ACJC）〉

何とも辛辣で、情け容赦のない批判です。この時のイレーヌは一八歳。それまでの人生で、当時のフランスでは「女らしさ」の象徴であったはずの、いかなる婉曲的な物言いも学んでいませんでした。彼女は戦争の最後までこの調子で、Ｘ線の技術を学ぶ気のある人物には礼をつくしましたが、地位や年齢にこだわり、科学と真摯に向き合わない男性は徹底的に軽蔑しました。ここには自分が「科学や数学を正しく理解できる女」であることに対する、いかなる歪みもない自負があります。次の章で詳しく述べますが、この特徴はイレーヌを「女らしくない女」として敬遠する人、特に男性を作る理由にもなりましたが、ラジウム研究所を発展させ、そこに属する女性たちを強く導く力にもなっていくのです。

こうしてイレーヌの「戦時」は、多数の負傷兵を救いもしましたが、「生意気な小娘」に馬鹿にされたとしてにがにがしい思いをした男性も多々生み出したに違いありません。ともあれ、この戦争はイレーヌに大きな名誉をもたらしました。なんとフランス政府から叙勲されたのです。これはキュリー家の誇りともなりました。そして、じつはこの愛国的行為と並行して、先にも書いたように、ソルボンヌ大学の理学部の学生としても優秀な成績を残しています。学士号取得もじきでしょう。そうしたら次は博士号に向けて、ラジウム研究所で自分の研究を開始するのです。

一九一八年一一月一一日に休戦条約が結ばれた時、マリーは三人の大切な男性研究者を永遠に失っていました。そこには一〇年来の仲間であり、ヤドヴィガ・シュミットをここに紹介したポーランド系フランス人、祖国の後輩とも思っていたジャン・ダニッツも含まれていました。けれども、若い世代が育っていました。イレーヌはいまこそ、その先頭に立つのです。戦争が始まった年の九月に、まさに母が娘に予測した通りに――「いまはフランスのために働くことができないとしても、フランスの未来のために働きなさい。この戦争のあとでは、悲しいことですが、多くの人材が不足するでしょう。その代わりがいるのです」（M&I・キュリー、一九七五、一一五頁）。

第四章

ラジウム研究所（1）——新しい時代の科学研究室

戦争が終わり、男たちが帰ってきました。もちろん亡くなった者もいました。この戦争はフランスだけでも一三〇万人以上の死者を出した、歴史上未曽有の大規模な戦いだったからです。そして戦車や毒ガスが使用されたこの戦争はまた、国家に科学技術の必要性を思い知らせる契機ともなりました。いずれにせよ、戦時非常体制のため女性X線技術者学校になっていたラジウム研究所が、やっと本来の目的のために動き出します。新しいメンバーが世界の各地からやってきだしました。ただ、戦争中のフランス人ばかりの体制のせいなのか、それともマリーの活躍がフランス女性を勇気づけたのか、あるいは第一次世界大戦そのものが女性の社会進出を促した結果なのか、はっきりした理由はわかりませんが、こと女性研究者に関しては、ソルボンヌ時代より、戦争の後の方がマリーのところのフランス人の割合は高くなります。

ここでは第一次世界大戦終了から、マリーが初めてアメリカを訪れる一九二一年夏までの時期に入所した弟子たちについてお話ししたいと思います。この時入った最も優秀な女弟子は、何といってもマリーの長女、イレーヌ・キュリーでした。

イレーヌ・キュリー――常識知らずの「母の娘」

次女のエーヴも含めて、キュリー夫妻の二人の娘は、働く母の姿を見て育った子どもです。母の背が娘たちに教えた基本的なことは、「人間は働かなければならない」ということでした。じっさい、子どものキュリー姉妹には、将来の夢として、当時の中産階級の標準的女性モデルである「専業主婦」という選択肢はありませんでした。姉妹がよく知っている、そして母が信頼している女の人たちはほとんどみんな働いています。母の故郷、ポーランドの伯母さんたちはそれぞれ、医者と教員です。イレーヌの大好きなシッターだったウージェニィも、物理の先生になりました。ソルボンヌ大学にある母の研究室でも、エレン・グレディッチをはじめとした女性科学者が常時働いています。イレーヌもエーヴも、何をするかは別として、自分でお金を稼がない人になるなどということは、考えられませんでした。数学や理科が大好きだったイレーヌは、両親の後を継いで科学者になる道を選びます。

先にも述べましたが、第一次世界大戦が終わった一九一八年一一月には、イレーヌは実質的には何年もラジウム研究所で働いていました。X線医療隊のメンバーだったからです。ただし、戦争の初めからではありません。第一次世界大戦が勃発した一九一四年夏には、小学生だったエーヴとブルターニュ地方の田舎、ラルクエストの別荘に行っていたのです。あとからマリーが合流するはずでした。ところが戦争がこの母娘を引き離したのです。マリーには、戦時中だからこそ、科学者としてやらねばならない使命があります。イレーヌは、フランスのために働きたいと母に願い出て、その年の秋からこの母の使命、X線の仕事に加わったのです。

戦争が終わった時には二一歳、理学部の学士号も取得予定です。こうして終戦の年の秋学期から、正

イレーヌ・ジョリオ＝キュリー
〈所蔵：お茶の水女子大学〉

式にキュリー所長専属の実験助手、つまりお給料のある職について、ここで働きだします。じつはこれは特別待遇です。そもそもここに登場する研究者たちのほとんどは、ラジウム研究所から給与を受けている身分ではありません。たいがいは外の奨学金を受けて、一年か二年ほどここで勉強させてもらっているのです。イレーヌはそういうメンバーとは最初から一線を画しています。彼女はこの時点から幹部候補でした。

イレーヌにX線の後遺症が出てくるのはまだまだ先の話です。未来に対する夢であふれた二一歳の彼女は、この若さで母の片腕として、研究所でゆるぎない存在感を持つ科学者でした。学士号はもう取ったも同然ですから、当面の目標は国家理学博士号取得です。テーマはもちろん放射能、両親が発見したポロニウムの放射線についてです。入所三年目の一九二一年の春に、権威あるパリ科学アカデミーの機関誌『コント・ランデュ』に論文を一本載せています。しかし自分のことをしていただけではありません。自分の研究の傍ら、ここにやってくる新人たちの面倒をみて、彼らを研究所に慣らす仕事、たとえば実験の手ほどきなどもしていました。同じポロニウムを研究する新人と一緒に論文を書いたりするのもイレーヌの「仕事」だったのです。第七章に出てくる日本人の山田延男（一八九六―一九二七）との共著論文などがこのケースです。

イレーヌには、この道を志したほかの女性の同僚たちが最初に直面する問題、女性が科学に向くか否か、という悩みはみじんもありませんでした。もし女性が科学に向かないなら、二度のノーベル賞受賞者の母は女性でないのか。ありえないことです。一九二五年に国家理学博士号を取得した時、記者のこの手の質問に対して、「それは仕事にかけられる時間の問題だ」という趣旨の発言をしています。女性だけが家事育児に時間を取られると、結果として研究に割くことのできる時間が減少するから不利になる。ここさえクリアできれば、男女に差はないというのがイレーヌの基本的な考え方でした。つまり、効率的に生活すれば、男性にできて女性にできないことなどないというものです。ですからイレーヌは母同様、結婚も出産もためらいませんでした。

一九二六年に同僚のフレデリック・ジョリオと結婚して、ジョリオ＝キュリーという複合姓を名乗り、二人は共同研究を始めます。ジョリオ＝キュリー夫妻による人工放射能発見は、一九三五年のノーベル化学賞に輝きました。これは後の話ですが、二人の子どもたち、エレーヌとピエールはどちらも科学者になりました。特にエレーヌは日本人物理学者湯浅年子の同僚となって、その縁から何度も来日することになるのです。

こうして、公私ともにさまざまな経験を積んだのち、イレーヌは一九四六年にラジウム研究所の三代目所長に就任しました。その前からすでに母の後任としてソルボンヌ大学の放射能講座も受け持っていました。この所長就任より少し前、第二次世界大戦中のイレーヌのことを、フレデリックの弟子になった湯浅年子が書き残しています。「マダム・ジョリオ〔イレーヌ〕はマダム・キュリーが好まれたといわれる木陰の多い研究所の中庭のベンチに腰かけるのを好かれた。〔……〕かざらないすこしも感情を誇張しない自然のままのマダム・ジョリオはその秀でた額

フレデリック・ジョリオ＝キュリー
〈所蔵：お茶の水女子大学〉

に、マダム・キュリーの智を隠しているかと想われる。夫人はお辞儀が大嫌いだとキュリー夫人伝に出ているが全くそうである。余程親しい人にだけ漸く、『今日は』をいわれる」（湯浅年子『科学への道』昭和二三年、四八頁）というものです。

湯浅は褒めているつもりなので、さらりと読むと、ああそうか、気取らない人なのか、と思うかもしれませんが、じつはこれはとんでもない無作法なのです。「今日は」というのは、いわゆる「ボンジュール」のことです。日本の「こんにちは」より、もっと頻繁に使います。しかも、この時代のこの階級の人なら、「ボンジュール」だけではだめなのです。あとにそれを言う相手の敬称が必要です。つまり「ボンジュール、マダム」とか「ボンジュール、ムシュー」と言わないといけません。それを抜かして「ボンジュール」だけでは礼儀正しいとは言えません。

一九五四年、天才文学少女と言われたフランソワーズ・サガン（一九三五―二〇〇四）が『悲しみよこんにちは』という小説でデビューした時、育ちのいいはずの主人公の少女セシルが「ボンジュール」しか言わない、つまりムシューやマダムをあとにつけない、ということで、当時の保守的な社会に大変なショックを与えたのは有名な話です。イレーヌの現役時代は、それよりももっと保守的な時代です。なので、その「ボンジュール」すらろくに言わない女性など言語道断だったはずです。

こんな態度がまかり通ったのは、イレーヌが母の研究所に就職したからです。よそだったら許されないでしょう。けれども、女性研究者の育成には、マリー所長による、幹部候補生イレーヌの「礼儀知らず」の態度容認、さらにイレーヌ所長の奇妙な「作法」貫徹は、大きな力になったと思います。なぜならラジウム研究所に来るような学歴の女性は、わずかな例外を除いて、ある程度以上の社会階級の出です。ですから、かつてのウージェニィがそうだったように、礼儀にはうるさい家で育っているはずです。こういう女性たちは、自分たちの階級が女性に要求する態度と、自分の学力が抱かせる科学的野心の間で引き裂かれます。つまり、万事他人に譲っておしとやかにしていたら競争に勝てなくなり、競争に勝とうとすると自分たちの階級の規範を捨てなければならなくなります。

ところが、ノーベル賞科学者夫婦の娘、つまりエリート女性イレーヌの態度がこれなのです。所長のキュリー夫人は何も言いません。それよりも実験器具がそろっていないことの方がよほど重大です。実験机の上の掃除を怠ったりしたら、恐ろしいお目玉を食らいます。男の弟子もびっくりしたでしょうが、女の弟子たちにとって、イレーヌの「礼儀知らず」は、女性所長マリー・キュリーという事実に負けず劣らず、彼女たちの「常識」をひっくり返すことになったと思います。

科学にも夫にも愛された人生

ただ、イレーヌのこんなスタイルは、どこでも通用したわけではありません。かつてマリーが挑戦して突破できなかったパリの科学アカデミーでは、彼女の流儀が受け入れられることはありませんでした。ノーベル賞受賞者だった父も夫も会員だった科学アカデミーに、イレーヌは何度も立候補しました。フランス女性が参政権を獲得したあと、つまり第二次世界大戦後の話です。ところが彼女は母のマリーよりも少ない票しか取れません。たった二票差だった母と違い、いつも大差で落選です。これには確かに時代の傾向もからんではいます。戦後しばらくのこのころは、マリーが立候補した一九一一年より、ある意味で社会が保守的になっていました。でも、やはりイレーヌの常識はずれの態度も、この落選の原因の一つに違いありません。

イレーヌは確信犯でした。アカデミーの女嫌いの面々をよく知っていて、女である自分は当選しないとわかった上で、普段の態度を一切変えずに挑戦し続けたのです。マリーの人生は何もかもを女性第一号として、無我夢中で切り抜けていった感がありますが、第二号のイレーヌは常に冷静でした。彼女は冷ややかに、無神論で合理主義の科学者として、自分のスタイルを貫き通しました。母と同じく白血病になり、引退など考えもせず、やはり現役のままで亡くなりました。母より若い、五八歳でした。

もうすぐ完成するはずだったパリ郊外の新しい研究所は、夫のフレデリックが継ぐことになりましたが、その彼も二年後には、放射線障害による肝臓病で世を去ります。初代のキュリー夫妻と違い、二代目のジョリオ＝キュリー夫妻は、片方がもう片方の死を乗り越えることはできなかったようです。湯浅年子は、イレーヌが危篤になってからのフレデリックの様子を知っているただ一人の日本人です。もはや何の助けにもならない、自分と妻の尿の放射能測定をしながら、一緒に仕事を始めた新婚時代を思い出し、涙に暮れている師の姿を見て、湯浅は「私は〔穏やかな、明るい、自信に満ちた〕ジョリオ先生を失った」（湯浅年子、一九九五、一九四頁）と書き残しています。

けれども、こうした哀れな夫の姿もまた、ラジウム研究所の女性研究者、つまりイレーヌの女弟子たちにとっては、そして湯浅自身にとっても、ジェンダーの規範を覆す光景として強く心に残ったに違いありません。というのも、科学者イレーヌは科学者マリーとはまた違う、新しい女性科学者モデルを打ち出したからです。マリーが科学者になったのは夫になるピエールのプロポーズがきっかけですが、イレーヌは男性の介在なしに科学者という自分の職業を決めています。というか、母親という「女性を見習って」科学者になったのです。そしてすでに科学者になった状態で、美男で評判の年下の青年フレデリック・ジョリオと恋愛結婚し、共同研究で大きな成果を得ました。そしてその共同研究者である夫は「妻が一番望んでいること」は「研究すること」だと、きちんと理解しています。

フレデリックは、妻の回復を誰よりも望んではいましたが、イレーヌが寝たきりになることを何よりも恐れていました。それは「研究第一の」妻の心を殺してしまうに等しいことだと知っていたからです。「科学者の夫」としてのこういう愛情深い態度をオープンに示したフレデリックは、期せずして周囲の女性科学者たちに強い印象を残し、常識はずれのイレーヌは「科学にも夫にも愛された女性科学者」だった、ということを彼女たちの心に刻み付けたに違いありません。アカデミーに振られることは、ノーベル賞や優秀な男性に振られることとイコールでないことを、イレーヌは示してみせたのです。

イレーヌの葬儀に出席したあと「棺の先頭部の上方、一般には十字架をかけるところには何もなく、真っ白であった。マダム〔イレーヌ〕は公正で、誠実で、人間味の豊かな方であった」と日記に記した湯浅はまた「これから私はマダムを規範として生きていこう」（湯浅年子、一九九五、一九八、一九七頁）とも述べています。同時代の女性たちにとって、イレーヌはまさしく、マリーと同じように、しかもマリーとは別のタイプの、女性科学者としてのロール・モデルだったのです。

もう一人のポーランド女性

この時期に入所したもう一人の注目すべき女性は、マリーの同胞、ロシア帝国占領下のポーランドから来たソニア・スォボドキン（一八九六―一九四五）、後のコテル夫人です。やはり湯浅が「ラジウム分析にかけては一寸比肩する人がない確実な技能をもっている」（湯浅年子『科学への道』昭和二三年、四八頁）と褒めています。じっさい、今のデジタル機器を使っている科学者たちには想像できないでしょうが、マリーたちの時代には、実験機器を正確に扱うことのできる手先の器用さというのは、実験科学者になるための必須条件でした。キュリー夫妻がラジウムとポロニウムを発見する時に使用した、ピエールお手製のピエゾ電気計などは、現代では超絶技巧と言いたくなるような難しい操作を要求するのです。日本の後輩たちからその腕を称賛された実験家湯浅年子でさえも、ラジウム研究所の研究者たちに要求される実験技術のレベルについていけず、早々に白旗を揚げたと告白しています。その湯浅が褒めるソニアの腕は超一流でした。

ソニアはマリーと同じく、被占領国ポーランドから出てきて、一九一五年にソルボンヌ大学に入学し、三年後に理学士を取得しています。一九一九年からラジウム研究所で働き始め、その数年後に結婚してコテル夫人になるのですが、十年足らずで離婚します。その後もずっと、マダム・コテル（コテル夫人）と呼ばれていました。フランスでは離婚して独身になっても、結婚前のようにマドモワゼルとは呼ばれません。

ソニアの専門は化学操作で、湯浅も感心した確実な技能がマリーに見込まれ、放射能測定サービス部門に配属されます。繰り返しになりますが、ラジウム研究所の放射能測定サービス部門は大変重要な部署でした。

世界中から放射能についての問い合わせが来るのです。これはマリーとその弟子たちの腕がそれだけ信用されていたことの証です。ラジウム研究所の信用の要ですから、どんな細かいこともゆるがせにはできません。ソニアはここで、ポロニウム、ラジオトリウム、メソトリウム放射線源の混合物の準備についてのスペシャリストになります。ただし、これはきわめて危険な作業でした。彼女は初期の段階で、放射線が人体に与える影響、たとえば悪性貧血を引き起こすことなどを、マリーやイレーヌよりもきちんと理解していました。
こうしたことを非常に甘く見ていたイレーヌが、一九二七年に母に宛ててこんな手紙を書いています。

〔ソニア・コテルが〕胃が悪い、髪の毛がひどく抜ける……などの症状があるからです。たとえこれらの症状が放射性物質のせいでおこったのではないとしても、マダム・コテルが緊急に休まねばならないのは明らかです。〔……〕しかし私自身同じ仕事をたくさんやって体の調子が悪くないのですから、私はむしろ、マダム・コテルはあやまってポロニウムを飲んだという意見です。〔……〕それに今健康状態が悪いのは、おそらく放射能とは関係ないでしょう。しかしマダム・コテルは非常に心配しています。

（M&I・キュリー、一九七五、二三三―二三四頁）

（傍点は引用者）

イレーヌの言い分はとんでもないものであり、ソニアが自分の健康を心配するのは当然の話です。そしてその心配は正しかったのです。

ただ、普段のソニアは「くだけて小母さんという感じ」（湯浅年子『科学への道』昭和二三年、四七頁）と湯浅が表現しているように、その高い能力をひけらかすことのない、まったく気取りのない人でしたから、イレーヌも含めて、研究所のすべての人たちの人望を勝ち得ていました。放射線障害の問題はともかく、マリーもこの弟子を大いに頼り、信頼を置いていました。キュリー・アーカイヴに、体調を崩して療養しているソニアに宛てたマリーの手紙の写しが残っていますが、それらはみんな、とても優しい手紙であり、マリーとソニアがお互いに抱いていた愛情と信頼が伝わってきます。

ソニアは非常に典型的な症状を起こして、放射線障害に苦しみました。マリーの弟子を見ていると、サービス部門の研究者の障害の程度が大きい印象を持ちます。やはりここは他のところより危険の多い部署だったと言っていいでしょう。四九歳の若さで亡くなった時、弔問者があまりに多かったので、関係者は対応が大変だったと言われています。それはソニアがいかに周囲の人たちから愛されていたかという証拠であり、また、皮肉な話ですが、いかに放射能研究に真剣に取り組んでいたかということの証でもありました。

弟子にして孫弟子——エレン・グレディッチの女弟子

マリーには、弟子であると同時に孫弟子でもある女性たちがいます。エレン・グレディッチの教え子です。まったくこのエレンという人は、八面六臂の活躍をした女性です。第一線の科学研究をしながら、幼い弟妹の面倒をみて、ついでにその子どもたちの世話も焼き、たびたびラジウム研究所を訪れて研究する傍ら後輩を励まし、ナチスの手から仲間のユダヤ人を逃がし、熱心な学生指導を行ってマリーのところに弟子を送り込み、国際女性大学人協会の仕事を積極的に担い、八九歳の長寿を全うしたのですから驚くべき話です。「キュリー夫人の女弟子の誰と仲良くなりたいか」と問われたら、私は迷わず「エレン・グレディッチ」と答えます。エレンはみんなにとって、本当に優しくて頼もしく、正義感の強い「肝っ玉姉さん」でした。

エレンがラジウム研究所に送り込んだ女性は二人で、ランディ・ホルヴェック（一八九〇─一九六七）と、第六章で扱うソニア・デディシェン（一九〇二─一九九八）です。二人はそれぞれ、ノルウェー工科大学とオスロ大学の学生の時にエレンの教えを受け、ランディは一九一九年から一年間ラジウム研究所で研究しています。ランディの経歴は変わっていて、ノルウェーに帰ってからは科学関係の仕事をしていたのですが、同時に絵画の勉強も始めて、最終的には画家になりました。晩年についてはよくわかっていません。放射線障害はまぬがれたのではないでしょうか。

影の騎士「アンドレ」

この時期に入った女弟子の数が少ないので、最後に一人、マリーと娘たちの人生に重要な役割を果たした男性科学者についてお話ししたいと思います。

光り輝くヒロインの影として、その女性に尽くし続けた献身的な男性アンドレ、というと、漫画『ベルサイユのばら』のファンなら、男装の麗人、オスカルの従士にして恋人だったアンドレを思い出すにちがいありません。「お前は光、俺は影」として、徹底的に女で軍人だったオスカルに尽くした男性です。

じつはマリーの傍らにも、恋人でこそありませんでしたが、献身的な騎士「アンドレ」がいました。その人の名はずばりアンドレ。かつてピエールが教師をしていた物理化学学校出身の化学者、マリーより八歳年下のアンドレ・ドビエルヌです。アンドレは、所属こそピエールの友人ジャン・ペランの研究室でしたが、一九〇〇年ごろから、ラジウムを単離しようとしていたキュリー夫妻の助手のような仕事をしていました。ピエールはこの有能な化学者を気に入り、一緒に論文も書いています。アンドレはピエールの父ウジェーヌ・キュリーとも親しくなり、家族ぐるみの付き合いをする仲になりました。ピエールが事故死した時には警察署に出向き、亡骸が横たえられた担架を担いで、主を失った家に運び入れた一人でもあります。

この悲劇的な事故の後も、アンドレの協力は続きます。マリーがソルボンヌ大学の教員かつ放射能研究室の責任者となった時に、アンドレはそこの実験主任となったのです。つまり、マリーがピエールの後任となり、アンドレがマリーの後任になった形です。こうしてアンドレは、マリーが学生指導を始めた時の七人の男性メンバーの一人となりました。

ピエールの事故死はもちろん大きな悲しみでしたが、この時代のフランスにおいて主人である男性の死は、家族にとってはそれ以上の大事件でした。夫を失ったマリーは改めて、自分の法的立場が無防備であることに愕然としたに違いありません。ポーランドの出身だからではありません。女だからです。当時のフランス女性には、市民としての完全な権利が認められていませんでした。確かに、選挙権はいらないという女性はいたかもしれませんが、寡婦になっても一家のお金を管理する権利はいらないと思う女性は、ほとんどいなかったと思います。しかし女にはそうした権利もありませんでした。これがナポレオン法典の精神なのです。

ノーベル賞受賞の世界的科学者が、女性であるという理由で、預金通帳も作れないし、家を買う契約もできないのです。なんとピエールの生前には、セーヴルの教授としてのマリーの給与は、マリー本人にではなく、夫のピエールに支払われていました。これが当時の法律です。

もう少しあとに世界的に有名になる、デザイナー兼大実業家のココ・シャネル（一八八三―一九七一）だって同じです。世界中でその洋服や香水が売れても、シャネル名義の預金通帳は作れないのです。誰か家長代わりの男性（たいていは親族）を立てないと、女一人では何もできません。ピエールの死によって、マリーは家族の男性後見人というか、男性の法定代理人を立てなければならなくなります。基本は夫の側の親族がそれに任命されます。これは悪用されたら恐ろしい制度です。腹黒い親戚男性に騙されて、全財産をなくした女性たちがたくさんいたに違いありません。現代の日本でいえば、成年後見人の制度に近いでしょうか。つまり一九世紀から二〇世紀初めのフランスでは、女は自分の意思を表明できない状態の男性と同じ立場だったのです。

アンドレ・ドビエルヌ　1901 年
〈所蔵：Musée Curie（coll. ACJC）〉

　アンドレはこの家の代理人の一人になりました。彼は陰に日向にキュリー母娘に尽くします。私はよく、もしもアンドレがいなかったら、マリーの二人の娘たち、特にエーヴはどうなっていただろうと想像することがあります。父を二歳で、祖父を六歳で失ったエーヴは、言葉にできない哀しみを抱えて、孤独な幼年期を送っていました。七歳も離れている姉のイレーヌとは、あまり親しく遊ぶこともありません。そんな時にアンドレおじさんが優しく接してくれたのです。病気や国際学会、第一次世界大戦などのさまざまな場面で、長期の不在をしたマリーの代わりに、エーヴの養育に責任を持っていたのは、多くの場合アンドレでした。

ラジウム研究所のもう一つの支え

先の湯浅年子がアンドレに少しだけ言及していて、一九四〇年代前半には「形式上の〔ラジウム研究所の〕所長はマダム・キュリーの共同研究者であったアンドレ・ドビエルヌ教授であるが、事実上はマダム・ジョリオ即ちマダム・キュリーの長女イレーヌ夫人が所長であり、研究指導をして居られる」（湯浅年子『科学への道』昭和二三年、四五頁）と書いています。湯浅は先のような事情を知らないので、あたかもアンドレがお飾り所長のような書き方をしていますが、イレーヌがここまでに育ったのも、もちろん彼女自身の努力とマリーの指導がありますが、アンドレの支えが無視できません。ソルボンヌ時代から、キュリー研究室の要となり、「拝啓キュリー先生」という手紙とともに入所してくる世界中の若手研究者たちに、マリーの右腕となって丁寧な指導を続けたのはアンドレです。エーヴは母の伝記で、マリーがソルボンヌで研究室の長になった時のことを「八人から十人のこの一団を、キュリー夫人とともにしっかり見守ったのは、かつての共同研究者であり、信頼できる友であり、超一流の科学者でもあった人、アンドレ・ドゥビエルヌだ」（E・キュリー、二〇〇六、三九〇頁）と述べて、キュリー研究室におけるアンドレの重要性を強調しています。

とりわけ、第六章で詳しく述べる科学アカデミーの落選と、「はじめに」の注で述べたランジュヴァン事件にゆれて、最後にはマリーが入院する騒ぎになった一九一一年秋から一九一二年の初めにかけて、キュリー研究室を実質上運営していたのはアンドレでした。本書を含めて、マリーの女弟子として紹介されることの多いメイ・シビル・レズリーやイレン・ゲッツ、マーガレット・フォン・ランゲルなどは、どちらかというと、アンドレに指導された研究者です。

アンドレはマリーの研究指導を支えただけではありません。どうしても「金属状態のラジウムが見たい」というマリーの執念に付き合って、この物質を取り出す実験にも協力しました。じつにこの超絶技巧的実験の成功は、「金属ラジウムの抽出」として、二度目のノーベル化学賞の受賞理由の一つにもなりました。これは一九〇二年のキュリー夫妻によるラジウム塩単離と同様、マリー一人ではできなかったと思います。少なくとも、一九一〇年に完成することはなかったでしょう。エマナチオンの測定によってラジウムの含有量を測定する方法の開発に協力したのもアンドレです。アンドレは辛抱強い、誠実で優秀な実験家でした。自身も一八九九年、ピッチブレンドの中からアクチニウムという放射性新元素を発見しているほどの腕なのです。もしかしたら栄転するチャンスもあったかもしれません。けれども彼はマリーのそばを離れませんでした。マリーを愛していたから、という人もいますが、本当のことはわかりません。

パリのキュリー・アーカイヴの主任司書であるナタリー・ピジャール・ミコー氏が私に語ってくれたところによると、「我々のような資料のプロから見ても、アンドレ・ドビエルヌの本音はわからない。この人は本当に奥ゆかしい人なのだ」そうです。ただ、彼をピエールのような、その場にいるかいないかわからない地味な男性だと想像するならそれは間違いです。先に紹介したハリエット・ブルックスもそうですが、その指導を受けたフランス人以外の女性たちによると、アンドレ先生は「フランス男の典型で、親切で、優しくて、マナーを心得ていて、忍耐強く、困った時は頼りになる」（M. & G. Rayner-Canham, 1992, p.67.）最高にチャーミングな人物だったそうです。きっとフランス的ウイットにあふれていた男性だったのでしょう。

こんなアンドレをスタッフにしていたキュリー研究室、あるいはラジウム研究所は、とりわけ女性研究者にとってありがたいところだったと思います。先のイレーヌの不作法同様、こうした光景もジェンダー的には「常識外れ」だったからです。男性教授を支える奥ゆかしい有能な女性助手、という話ならいくらでもあるでしょう。けれども女性所長に仕える奥ゆかしい有能な男性実験主任、という話はそうそうありません。世界各地からマリーのところに来た女性研究者たちは、この珍しい光景を目の当たりにしたのです。この話が『ベルサイユのばら』よりすごいのは、「身分」が関係していない点です。漫画のアンドレはフランス革命以前の世界の住人ですから、貴族（オスカル）と平民（アンドレ）という階級の壁が男女の差より大きいことで、自分の献身を正当化できますが、こちらのアンドレはそうはいきません。もしあるとしたら「科学者としての資質の差」でしょうか。けれどもこれは身分と違ってはっきりしていないものです。解釈などどうにでもなるでしょう。そんな中で女性の陰に徹するには、並々ならぬ意志の力が必要です。

そしてアンドレはマリーの晩年にもラジウム研究所にとっての大きな支えとなりました。長年の放射能研究のために白内障がひどくなっていたマリーは、実験がきちんとできなくなります。もちろんイレーヌをはじめとしたほかの弟子たちも所長を支えますが、だんだん新弟子の面倒をみるのが難しくなってきます。一九一一年の時と同様、アンドレの存在が重要になります。たとえば第六章で出てくる、フランシウムの発見者マルグリット・ペレー（一九〇九―一九七五）の才能を見出したのはアンドレです。病気がちなマリーの出勤が不安定なまま、その死によって指導が打ち切られてしまった専門学校出の技官マルグリットに、大学の学位を取って、きちんとした研究者になるように励ましたのはアンドレです。自分の分は研究者の手伝いだと思い込んでいた彼女に、創造的な科学者になれるとアンドレが請け合ったのです。こうしてマルグリットは、のちにマリーすらも達成できなかったパリ科学アカデミー会員（正会員ではなく通信会員ですが）の座を勝ち得ることになります。

性や民族、人種によらず、その人の才能を見出そうとする姿勢は、被占領国ポーランドの女性だったマリー・スクォドフスカ・キュリーの基本的指針でした。多分アンドレはマリーよりも強く、彼女の弟子たちにこの方針を適用したのです。フェミニズム運動とともに進んできた女性史研究は、男性の陰でその功績を消されてしまった多くの女性たちの仕事に光を当て、その過程で発見したことを世に問うてきました。それならば、光り輝く「キュリー夫人」の陰になった「アンドレ」の功績を、闇の中からとり出してくるのも、女性史の大切な仕事と言えるでしょう。

漫画ともう一つ違うのは、このアンドレは、自分が仕えた女性より後まで生きたということです。彼はかつて面倒をみた二人の娘たちが十分に成長したところでその生涯を終えました。特に、自分の将来に不安を持っていた繊細なエーヴが、平和を求めるジャーナリストとして生きる道を見つけるまで生きていました。アンドレ・ドビエルヌが亡くなったのは、フランス女性が選挙権を獲得してから五年後の一九四九年です。私はこの、実在する「アンドレ」の存在を、大きな声で広めたいと思います。

放射能研究から原子の中に——原子の構造を探る

放射性元素の転換説を提唱して以降も、ラザフォードは特にα線に注目していた。というのも、自身の転換理論において、α線の役割がβ線やγ線より重要だと感じていたからである。再びカナダからイギリスに戻り、ブルックスもそこに呼んだ一九〇七年ころ（ブルックスは結局結婚して引退したのだが）、ラザフォードはのちにガイガー・カウンターの名で知られるハンス・ガイガー（一八八二—一九四五）と一緒に、α粒子を計測する方法を開発し、翌年にはα粒子の電荷は水素イオンの二倍であることを確認した。ここからラザフォードは、α粒子はヘリウムイオンだと予想し、翌年それを実証した。

そもそもα線はβ線よりはるかに重いので、運動量も大きい。だから当初は、これが物質を通り抜ける時には、軽いβ線のように簡単に散乱したりせず、直進するだろうと考えられていた。ところが実験してみるとそうはならず、二万回に一回の割合でα線でも大きな角度の散乱が確認されることがあった。なぜこんなことが起きるのか。この時だけ何かにぶつかるのだろうか。それは原子の構造に関係するのだろうか。J・J・トムソンはこのころ、原子について一つのモデルを提唱していた。それは原子とは一様に分布した正電荷の中に、負の電子が散在している、いわば電子という種の散らばるスイカのようなモデルである。けれどもこれでは実験結果を説明できなかった。というのも、この散乱現象が可能であるためには、α線を跳ね返すような、ある程度の質量を持つ、電荷の集中した部分が原子の中に存在することが必要だった。ここからラザフォードは、師のトムソンとは違い、正か負かはともかくとして、原子の中央にどちらかの電荷が集中していて、反対の電荷はそのまわりに一様に分布しているようなモデルの方が実験結果にかなっていると考えた。これが一九一一年のことである。ここではまだ、原子核に当たる部分が正なのか負なのかがはっきりしない。

じつはトムソンのスイカモデル（欧米ではプラムプディングモデルと呼ばれた）が発表されたのと同じころ、日本の物理学者長岡半太郎（一八六五―一九五〇）が土星モデルという、原子は中心に正電荷を持った核を持ち、負電荷を帯びた電子はその周りを、土星の輪のように回転しているという、今日の原子核と電子との関係に近いモデルを提唱していた。彼の先見の明には感動するが、長岡はこれを実験で証明したわけではない。しかも長岡モデルの原子核部分は、じつは実際よりもずいぶん大きかったのである。さらなる考察が必要だった。

ラザフォードモデルを発展させたのは、その弟子のニールス・ボーア（一八八五―一九六二）だった。ボーアは、ラザフォードが信用していなかったマックス・プランク（一八五八―一九四七）の量子仮説を採用し、より整合性のある原子モデルを提唱した。一九一三年のことである。これが、質量が中央に集中した、小さくて正の電荷を持つ原子核と、とびとびの値のエネルギーを持って原子核の周囲を回っている電子という原子モデルである。なんと原子は、かつて想像されていたような、固くてぎっしり詰まった玉などではなく、ほとんどが真空から成る、すかすかの存在だったのである。

その昔、イギリスのアイザック・ニュートン（一六四三―一七二七）が不可分割の原子説を唱え、真空を否定するフランスのルネ・デカルト（一五九六―一六五〇）の渦動説に対抗した時、パリでは世界が充実しているが、ロンドンは真空だらけであると茶化されたりしたものだが、このたとえがある意味現実のものとなった。原子から構成されている世界は、空虚がいっぱいなのである。

第五章

キュリー夫人、アメリカを征服する

あるアメリカ人女性ジャーナリストの提案

ここで少しだけ寄り道をして、一九二一年のマリーのアメリカ旅行についてお話ししたいと思います。これはアメリカの女性たちの寄付によるラジウム一グラムを受け取るためのお礼旅行であり、向こうで授業や学生指導をしたわけではありませんが、訪問先の中に女子大学がありました。短い滞在でしたが、そこの女子学生たちは「キュリー先生」に深い感銘を受けました。これはアメリカ女性教育史における一大イベントでもあったのです。

ことの発端は一九二〇年の、『デリニエーター』というアメリカの婦人雑誌の記者だった、ミッシー・メロニー（一八七八―一九四三）という女性のパリ訪問でした。マリーより一一歳年下のこの女性記者が書いた手紙「医者であった私の父は、つねづね、人間などというものはけっきょく取るに足りないものでしかないと、私に申しておりました。けれど先生は、私にとってもう二十年も、取るに足るどころか、すばらしいたいせつな方なのです。ほんの数分でけっこうでございますから、お目にかかることができましたらと願っております」（E・キュリー、二〇〇六、四四八―四四九頁）が、ランジュヴァン事件のせいで大のマスコミ嫌いになっていたマリーの心をなぜかとらえ、不可能と言われていた「キュリー夫人へのインタビュー」の機会をもたらしました。そこでミッシーが一番驚いたのは、「ラジウム研究所にラジウムが足りない」というマリーの話でした。第一次世界大戦が終わったばかりの時期ですから、戦場になったフランスの研究所がそんなに立派でなくても、まあ想定内です。マリーの質素な身なりも、うわさに聞いていた通りでした。しかし、ラジウムの発見者がなぜラジウムを十分持っていないのか、ミッシーには理解できません。

じつは世紀の発見ラジウムは、当時金よりも高い元素であり、ダイヤモンドよりも高価な物質になっていたのです。キュリー夫妻は、科学の発見は人類のものだとしてラジウム製造方法の特許をとりませんでした。普通は特許料がないと、その製品はその分安めに製造できるのですが、需要の高まるばかりのラジウムの値段はうなぎ上りでした。医者の娘として、ラジウム療法に深い関心を抱いていたミッシーは、こんな状況は間違っていると思いました。人類を救う――ミッシーはラジウムをあらゆる癌の特効薬だと思っていたのです――大発見をしたこのつつましい女性科学者を、このままの窮乏状態にはしておけない。フランスが助けないならアメリカ、それもアメリカの女性が助けてみせる、と決意しました。

日本人にはアメリカとフランスの関係について、あまり具体的なイメージがないと思いますが、この二つの国は、アメリカ建国以来なかなかに複雑な因縁があるのです。これは私の個人的印象ですが、フランス人は一般に「自分たちが（一八世紀に）アメリカを独立させてやった」と思っています。時の国王ルイ一六世（一七五四―一七九三）がアメリカ独立運動を支援して、フランス軍をアメリカに派遣したからです。一方アメリカ人は「第二次世界大戦で、自分たちがヒットラー（一八八九―一九四五）からフランスを解放してやった」と思っています。そして、ミッシーがマリーに会った一九二〇年には、この後半の部分がまだ存在しません。つまりフランス人の方がよりアメリカに恩を売っている状態でした。

一方アメリカは第一次世界大戦後に、世界一の経済大国になっていました。次に欲しくなるのは「文化」です。ただ、アメリカはこの時、フランスより先に女性参政権を実現させていました。この点では、相変わらず女性の政治的権利がないフランスの方が「文化的後進国」と言えないこともありません。豊かな国アメリカで、完全な市民となった女性たちが、偉大なるキュリー夫人にラジウム一グラムをプレゼントしたら、何かにつけてアメリカを馬鹿にする「文化大国」フランスに一矢報いることにもなります。

この計画はアメリカという若い国、特にその女性たちにとって、素晴らしい思いつきでした。今でいうクラウドファンディング、「一ドルからOK」だから、アメリカ女性からキュリー夫人にラジウムをプレゼントしよう、というミッシーのアイデアは大成功し、一年もたたないうちに、ダイヤより高いラジウムを買って、さらにマリーと二人の娘を豪華客船でアメリカに招待するだけのお金がたまりました。「癌の撲滅」という大義名分はありますが、それでもここから当時のアメリカ女性たちの中で、マリーの人気がものすごかったということがよくわかります。

キュリー夫人、移民の国アメリカに到着

こうして一九二一年五月、二人の娘とともに、マリーはニューヨークの港に降り立ちました。少し話がずれますが、この旅行とポーランドの関係についてもお話ししたいと思います。移民の国で、国籍こそアメリカになりはしたけれど、故郷を忘れたことのないポーランド系の人々もまた、マリーの訪米を大歓迎しました。ニューヨーク港では、アメリカ国歌とフランス国歌とともに、第一次世界大戦のおかげで独立したばかりのポーランド国歌が鳴り響き、三つの国の旗がはためいていました。そして三〇〇人ものポーランド系の女性たちが、ポーランド国旗の色である赤と白のバラの花を振ってマリーの到着を待っていました。

滞在半ばで訪れたシカゴのポーランド人街では、マリーはもはや宗教的熱狂ともいえるほどの歓迎を受け、移民たちはまるで聖遺物に触れるように、マリーの体や服に触れたそうです。「彼ら移民が喝采を送ったのは、単なるひとりの女性科学者ではなかった。彼女は、はるかなる祖国の象徴だったのだ」（E・キュリー、二〇〇六、四六三頁）と娘のエーヴが書き残しています。マリーはポーランドの誇りでした。ですから、裕福なアングロ・サクソンの女性たちの寄付に比べたら、金額は少なかったかもしれませんが、大勢のポーランド移民もまた、自分たちの生活費を削ってでも、「一ドルからＯＫ」なキュリー夫人招待のキャンペーンに貢献したに違いありません。

さて、本題に戻りましょう。ここアメリカでのイベントの中に、女子大学訪問というものがありました。実際の訪問に入る前に、少しだけアメリカの学校制度について説明します。というのも、フランスのそれとはだいぶん違うからです。マリーがポーランドの少女だった時には、ポーランド領内でも支配国のロシアやドイツ、オーストリア国内でも、女子の大学進学を認めていませんでした。ですから、大学に行きたいと思うなら留学するしかありません。そしてマリーは、共学大学への入学しか考えていませんでした。というのも、マリーが行きたかったフランスには、女子大学などなかったからです。ですからマリーはいつだって、男子学生の中の、ほとんど紅一点の状態でソルボンヌ大学の理学部に通いました。ところがアメリカの女性たちの可能性は、それとはまったく違っていたのです。

アメリカではヨーロッパよりずっと前から、女子の高等教育機関としての女子大学がありました。州立大学には共学のところもありましたが、レベルとしては、セブンシスターズと呼ばれる私立の七女子大学の方がずっと上でした。二〇二四年から発行される新五〇〇〇円札の顔、津田梅子（一八六四―一九二九）が留学したブリンマー大学も、このセブンシスターズの一つです。共学か別学か、というのは古くて新しい問題ですが、アメリカは今でもこのセブンシスターズのうちの五校は女子大学のままで、レベルも最高です。あと少しで女性大統領になるところだったヒラリー・クリントン（一九四七―）も、セブンシスターズの一つである、ウエルズリー女子大学出身です。

ヒラリーは、女子だけで何もかも運営した大学時代の経験は一生の宝だと語っています。「男子の目を気にせず」、つまりいわゆる男女の社会的役割であるジェンダーバイアスにとらわれずに、自分の才能をのびのびと発揮できる女子大学でこそ、女の子の才能がのばせるのだというのが、女子大擁護論者の言い分です。現代でこの説をどう見るのかは、意見の分かれるところでしょうが、一九二一年の時点では、明らかに女子大には大きなメリットがありました。

たとえばもしマリーの訪問先が共学大学の場合、理系には男子の方が多いでしょうから、行きたい女子が全員その講演に行けなくなる可能性があります。質疑応答でも、理学部の男子が優先されるかもしれません。あるいは、男子の目を気にして、質問できなくなる女子が出てきそうです。でも女子大学なら、そんな遠慮は不要です。ノーベル賞科学者キュリー夫人を、自分たち女子だけで独占できるのです。ポーランド移民のそれとはタイプが異なりますが、ここでも女子大生たちはマリーの訪問に熱狂します。

キュリー先生、アメリカの女子大学を訪問する

マリーが訪れた大学は、セブンシスターズのうちの四校、スミス、ヴァッサー、マウントホールヨーク、ブリンマー大学です。ミッシーがどこまでこうした訪問の「教育的効果」を考えていたのかはわかりませんが、これには絶大なものがありました。そもそも寄付金の多くは、それも高額寄付者には、このセブンシスターズの卒業生が多かったからです。「あんまり興奮していたので、倒れそうだった」という感想を述べた女子大生もいました。

じつはキュリー研究室時代にマリーが受け入れたハリエット・ブルックスは、一時期ブリンマーの教壇に立っていたことがありました。だからブルックスからアメリカの女子大生事情を多少は聞いていたかもしれませんが、今眼前に広がる広大なキャンパスや清潔な校舎、元気あふれる若い女性たち、というのは、ヨーロッパのどこの大学にも存在しない光景で、マリーの思いもよらなかったものに違いありません。しかもアメリカの女子大は「体育」を重視しています。これはサイクリングや水泳が好きで、娘の教育にもスポーツを必須としたマリーの趣味にもかなう方針でした。マリーは心からアメリカの女子大生たちを応援します。

そして一部の女子大生や女性科学者たちは、マリーに直接花束を渡す、という栄誉にも輝きました。五月一八日にニューヨークのカーネギー・ホールで、アメリカ女性大学人協会主催の行事が開かれ、それぞれの大学における科学研究で優秀な成績を収めた若手の女性研究者だけが、この、偉大なるラジウムの発見者にランの花を捧げる栄誉を得たのです。彼女たちの興奮と喜びはどれほどのものだったことでしょう。しかも

この会では、女性をもっと科学の分野に進学させようと、すでに大御所の女性たちも大演説を振るいました。ジョンズ・ホプキンズ大学の医学博士フローレンス・セイビン（一八七一―一九五三）や、ブリンマー大学学長のマーサ・ケアリー・トーマス（一八五七―一九三五）です。

ちなみにトーマスは、津田梅子が留学していた時、つまりマリーの学生時代くらいからそこの学長をしており、梅子の科学的才能を見込んで、アメリカにとどまって科学者になるように説得した人でもあります。梅子は結局日本に帰って女子英学塾（後の津田塾大学）を開くのですが、この二人は日米の女子教育の向上のために、最後まで交流を持ちました。トーマスは来日して、日本の女子学生のために講演をしたこともあります。こうした女性教育者たちにとって、二つのノーベル賞受賞者であり、二人の子どもの母でもあったキュリー「夫人」は、あらゆる意味で称賛しやすい偉人でした。

先にも書きましたが、当時の欧米には女子の高等教育に反対する人たちがたくさんいました。こういった人たちが若い娘を脅す時の最大の切り札は「結婚」と「出産」です。つまり、勉強に頭を使いすぎると、生意気になって男性に愛されなくなる、あるいは出産にさしさわる体になる、というものでした。ところが超一流の科学者で、人類を癌から救う救世主でもあるマリー・キュリーは、妻でも母でもあるのです。マリーが娘を連れてきたのは、夏休みに当たるこの時期を娘と一緒に過ごしたかったからですが、これは結果としてマリーが「母である」ことを強調する結果になりました。すでにラジウム研究所に所属し、将来を嘱望された科学者である二三歳のイレーヌと、輝くばかりに美しく社交的な一六歳のエーヴが母を助けて挨拶をする光景は、アメリカの女性たちに、知的な職業婦人マリー・キュリーの「子育ての成功」を印象付けたに違いありません。

じっさい、マリーに名誉博士号を与えようとしないハーバード大学に憤慨したミッシーは、抗議の意味を込めて「家庭と偉大な仕事を両立した」功績の偉大さを強調しました。ハーバードはこれを無視しましたが、それは関係者が男性だったからで、自分たちはやらないものだと思い込んでいる、家事や育児の重みを考えたくないからです。もしマリーと同じ責務を果たさなければならなくなったら、ハーバード大学の男性教授のほとんどは、現在の業績を達成できなかったでしょう。しかしそれは彼らにとって、「自分とは関係のない」「想定する必要のない」ことがらでした。ハーバードは動きませんでしたが、ミッシーの主張は女性たちの心には響いたのです。しかもマリーは政治的な言動を控えていたので、ますますみんなが都合のいいようにマリーの立場を解釈しました。

たとえばミッシーはどちらかというと家庭重視の保守的な立場でしたが、ブリンマーのトーマス学長はむしろ急進的フェミニストであり、この時の演説の中で、女性こそが選挙権をはじめとする政治的力を持って、世界に平和をもたらす存在なのだと訴えました。トーマスにとって、被占領国に生まれて武力支配の残酷さを知り尽くした女性であり、科学の力で癌と闘い、前線ではX線で兵士の命を救ったキュリー夫人こそは、科学と女性の最高のカップリングであり、女性に科学教育を与えることの意義を体現している存在に見えたのでしょう。つまりアメリカ女性は、右も左もこぞって「自分たちの模範」としてキュリー夫人をたたえたのでした。

こうして教育者たちの思惑はさまざまでしたが、アメリカの女の子とその親たちは、女性科学者マリー・

キュリーのアメリカ訪問から大きなインパクトを受けました。多くの場合、称賛の内容とマリーの思想的立場は一致しませんでしたが、とにかく女子学生たちは、自分たちの国、アメリカが絶賛している女性科学者というものを目の当たりにしたのです。これは大きな意味を持ちました。その証拠がそれ以前とそれ以降の博士号取得者の数に表れています。マリーが訪米する前の一九二〇年に博士号を取得した女性は四一人しかいませんでしたが、一九三二年には一三八人になっています。

「キュリー夫人がすごすぎてアメリカの女子はかえってしり込みした」という趣旨のことを主張する学者もいますが、これは正しくありません。もちろん現実には、大部分の大卒女子たちは、ハリエット・ブルックスのように仕事と家庭の板挟みになったと思います。そしてハリエット同様、家庭を選んで葛藤を抱えて生きることになった女性の方が多かったでしょう。けれども、同世代の女性物理学者を無視したハリエットでさえも、マリーを見くびることだけはありませんでした。そして、一つでもモデルがある限り、あきらめない女の子たちは途絶えませんでした。こうして「キュリー先生」の訪問は直接、間接に、分野を問わずアメリカの野心ある女の子たちを鼓舞し続けたのです。

スカーレット・オハラとキュリー夫人

最後に一つだけ、異色の分野でマリーの影響を受けたアメリカ女性を紹介してこの章を終わりたいと思います。それは『風と共に去りぬ』の作者、マーガレット・ミッチェル（一九〇〇—一九四九）です。正確に言うと、「キュリー夫人」に心酔し、その生き方に大きな影響を受けたのは、一八七二年生まれの母のメイベルでした。数学が得意だったメイベルは、名門大学に進学して科学者になりたいと思っていました。そんなメイベルにとって、マリーの存在は理想の体現でした。つまり、マリーの妹世代のアメリカ女性たちにとって、すでにキュリー夫人は理科系女性の憧れの存在となっていたことがわかります。ただ、メイベルにはマリーのような進路を取ることはできませんでした。それでも、家庭に入ったあとでも何か社会の役に立つことがしたいと思い、かなり戦闘的な女性参政権運動の活動家になり、夫も妻のこの運動を支援しました。マーガレットはこんな母の娘として育ったのです。

メイベルは女子教育の中で数学と科学を重視し、娘は医学部に進学させて、アメリカで数少ない女性医師にしたいと思っていました。ラジウム療法に感激していたからかもしれません。ですから、マリーのアメリカ訪問の三年前の一九一八年の秋、マーガレットは母の希望でセブンシスターズの一つ、スミスカレッジに入学し、卒業後は医科大学に進学する予定でした。でも、マーガレットの本当の関心は文学で、それは、母の目から見れば「役に立たない」ものでした。この点で、じつは母娘の間には大きな葛藤がありました。マーガレットが大学の勉強に身が入らないことに悩んでいた時、母が急死します。これをきっかけに、残された父と兄の世話をするという名目で、マーガレットは大学を中退します。ここでやっと数学や科学からおさらばし、「書くこと」を自分の主たる仕事と決め、しばらくしてから故郷で新聞記者となるのです。

メイベルは草葉の陰で怒っていたかもしれませんが、結果としては、こちらの進路の方が良かったのです。マーガレットはアメリカの誇る作家となり、キュリー夫人同様、世界的な名声を獲得した女性となったのですから。*　それでも、この「科学や数学のできる女」にこそ価値がある、というメイベルの考え方は、興味深い形で娘の小説の中に生きているような気がします。『風と共に去りぬ』のヒロイン、スカーレット・オハラは計算の名手なのです。三桁の計算でも簡単に暗算してしまいますし、分数の概念もやすやすと理解します。スカーレットは文学なんか大嫌いで、女学校で一番得意だった科目は数学でした。彼女はその能力を生かして、南北戦争後の混乱の中、自らの材木事業を成功に導きます。顧客の前で、あっというまに正確な見積もりを暗算し、商売敵を出し抜くのです。それは一九世紀後半というスカーレットの時代のアメリカでは「女らしくない」ふるまい、いえ、そもそも「女にあるはずのない」能力でした。

マーガレットは、スカーレットに「女らしくない」特徴をいくつも付与しているのですが、この「数学が得意」というのは、他の抽象的な特徴――大胆さ、決断力、率直さなど――と違い、非常に具体的であり、しかも話の流れの中で絶対に必要なものではありません。これはキュリー夫人を尊敬し、女性と数学の結びつきを価値あるものと見なしていた母親の影響ではないでしょうか。マリーの力はこんなところにまで及んだのです。マーガレットの母や祖母の世代のアメリカでは「学問をしたくても親に反対されて進学を断念した」女の子たちがたくさんいました。ところが、マーガレットの世代、つまりマリーの娘の世代になると、「キュリー夫人みたいになりたかった」母親たちが、娘に理科系の進路を望み、こうした妻の希望に反対しない夫が存在するようになっていたのです。そのような母の期待が娘のためになったかどうかはともかく、マリーのアメリカ訪問は、この手の母や娘をさらに増やしたに違いありません。

＊ただし、二〇二〇年現在アメリカで黒人差別に関する過去の言動の見直しが行われる中で『風と共に去りぬ』が問題視されているように、ここにはその発表年の一九三六年の時点から、人種問題について批判があった。内容はミッチェルの黒人の描写があまりにも現状に沿わないというものである。たとえば南北戦争時の一八六二年には、アメリカ初の黒人女性学士がオーバリン大学で誕生しているが、ミッチェルの小説からそのような知的な黒人の存在を想像することはできない。

第六章

ラジウム研究所（2）——世界からパリへ

狂乱の時代の冷静な科学研究所

マリー・キュリーのアメリカ訪問は、アメリカ以外の世界に影響を与えたのでしょうか。これの判断は難しいのですが、フランスにショックを与えたのは確かです。アメリカ女性から集めた十万ドルという大金が、マリーとラジウム一グラムのために使われ、向こうの大学や婦人団体だけでなく、合衆国大統領まで出てきてホワイトハウスでマリーを歓迎したのですから。じつはマリーのアメリカ出発直前にこのことを知ったフランス政府は、あせって勲章を授けようとしますが、勲章を忌避したピエールの遺志を継ぎ、マリーはこれを断ります。ますますあせった政府は、盛大な式典を催してマリーと子どもたちをアメリカに送り出しました。これには、当時の大スターだった女優のサラ・ベルナール（一八四四―一九二三）まで担ぎ出されました。

ですから帰国後のマリーは、フランス政府にとってあなどれない存在でした。第一次世界大戦のX線部隊の功績のあたりから、そのことはわかってはいましたが、政府はイレーヌを叙勲しても、元外国人のマリーには何も差し出そうとはしなかったのです。しかしアメリカのこの歓待ぶりを見て、フランスは世界におけるキュリー夫人の価値を思い知ります。国内でのマリーの存在感が増したのは、むしろアメリカから帰国した後と言えるのではないかと思います。

しかもフランスの一九二〇年代は、のちに「狂乱の時代」と呼ばれることになるバブル経済の時代です。その華やかさに惹かれて、世界中のあらゆる人がフランスにやってきます。日本人画家の藤田嗣治（一八八六―一九六八）が最初に注目されたのも、この時期のパリです。パリは世界の文化の中心でした。もちろん科学研究の都でもあります。ラジウム研究所はその、花の都パリにあるのです。「キュリー夫人」と「パリ」の組み合わせは、この時最強の組み合わせだったと言っていいでしょう。戦後のラジウム研究所は、世界の科学者の卵が憧れる科学研究所になったのです。

ですから、フランス人はもちろんですが、ラジウム研究所に来る外国人の数も増え、目的も多様化する一方でした。富国強兵を目指していた日本からも、二人の男性研究者が訪れます。一人はイレーヌと、もう一人はフレデリックとの共同論文を残しています。山田延男と小野田忠というこの二人の勤勉な日本人との付き合いで、フレデリックは日本人に親近感を持ち、それはのちに彼自身が受け入れる湯浅年子への信頼感にもつながっていきます。この時代、女性研究者の数もどんどん増えていきました。直接には「キュリー先生」を知らない湯浅が、第二次世界大戦中に目撃した、この時期のマリーの教え子たちについて、興味深い証言を残しています。

この〔ラジウム〕研究所附属の国際ラジウム測定所の主任をしているマドモアゼル・シャミエはマダム・キューリーの最も忠実な継承者である。〔……〕ロシア人とシリア人の混血児でロシア人特有の巻舌の強いフランス語で話すが、その研究が極めて独創的なのが特徴である。誰も目を付けない現象を誰も考え及ばない方法でコツコツと研究して行く。男子の研究者も随分指導している。〔……〕同女史よりはるかに若くてよい仕事をしている人にマドモアゼル・ペレーという人がある。この人はアクチニウムKという新元素を発見した人で、いつも立派な研究を出している。往来であったりすると全く市井の女の人と変わらず、自身もすこしも学者を気取っていない人である。きっと之からもよい仕事をするだろうと期待している。〔……〕この人達より更に又くだけて小母さんという感じの人に、マダム・コッテルがある。この人はエーヴ・キューリーの書いたキューリー夫人伝の中に出て来る。ラジウム分析にかけては一寸比肩する人がない確実な技能をもっている。

（湯浅年子『科学への道』昭和二三年、四六―四八頁）

文理両道だったラジウム研究所の主

ソニア・コテルは先の章で紹介しましたので、ここではあとの二人を紹介します。一つだけここで言及されている三人の共通点を挙げますと、みんな研究所からの給与所得者であり、他の多くの研究者のように、奨学金で一―二年滞在して退所する、という経歴ではありません。まずはマドモワゼル・シャミエこと、カトリーヌ・シャミエ（一八八八―一九五〇）の足跡を見てゆきましょう。

湯浅も書いているように、カトリーヌはシリア人の父とロシア人の母を持ち、ロシア帝国のオデッサに生まれた人です。高校までの教育はロシア国内で受けましたが、この時のロシアでは、女子の正式の大学入学と学位取得が認められていなかったので、カトリーヌは高等教育を受けるためにスイスのジュネーヴ大学に留学します。一九一三年の博士号取得後は、第一次世界大戦中に戦時看護師をしていた時期を除けば、ペテルブルグ大学で研究助手のような仕事をしながら、大学の哲学の授業を聴講したりもしていました。ところがここにロシア革命が起きるのです。一九一九年、カトリーヌは家族と一緒にパリに亡命し、この地で生活していくために、ロシア人高校の化学教師になります。しかし研究への情熱は捨てていません。高校の先生をしながら、市民に無料開放されていた、コレージュ・ド・フランスの科学の講義に出席します。

ここで少しだけコレージュ・ド・フランスについて説明します。というのも、湯浅の先生、フレデリック・ジョリオがここの教授になり、湯浅がそこに所属することになるからです。コレージュ・ド・フランスは一六世紀のコレージュ・ロワイヤルに起源を持つ高等教育機関兼研究機関で、教師陣は世界が認める超一流の学者です。ここの教師に選ばれることは、その分野の権威というお墨付きをもらうのと同じことであり、フランスでは大変な名誉でした。しかも、そんな教師が行う講義が、創立以来すべて無料で市民に開放されてきたのです。ですから、講義という点で見るなら、いわゆる「市民大学」のようなシステムです。しかしそのレベルは非常に高く、かつ美しいフランス語でわかりやすくなされるという、カトリーヌのような立場――金銭的余裕がなく、高い知識と向学心はあるが、フランス語のネイティヴではない――の人間には理想の教育機関でした。まさに世界の文化の中心にふさわしい組織です。そして、湯浅が留学生として所属していたことからわかるように、コレージュ付属の科学研究施設もあり、その部分は専門家だけの場所でした。

カトリーヌは、高校教師の仕事とコレージュ・ド・フランスの聴講だけでは物足りませんでした。研究がしたいのです。そこでつてをたどって、無給でいいからとラジウム研究所に入所を乞い、マリーはこれを許可します。一九二一年のことでした。こうして一九五〇年に放射線障害で死去するまで、カトリーヌはここを代表する研究者の一人になりました。

カトリーヌはソニア・コテルと同じ放射線測定サービス部門に配属され、ここで、ラジウム塩の準備や、コンゴからの放射性物質を含んだ鉱石の分析を行ったり、ラジウム研の同僚のために多数の放射線源を用意したりしました。一九三四年にはサービス部門の部長に任命されています。この間たくさんの論文を執筆し、男女の後輩の指導も行っています。自分の名を冠した「シャミエ効果」という現象も発見しています。それはごく少量の放射性物質が溶解しているのか、それとも凝固しているのかを、写真フィルムを使って確認する斬新な方法です。カトリーヌは、放射能のさまざまな分野で優れた論文を残し、湯浅が称賛している通りの独創的な研究者でした。ラジウム研究所の「主《ぬし》」と言ってもいい存在です。

ところがカトリーヌは、主になっても高校教師の仕事を続けていました。というのも、さすがにラジウム研の仕事は有給になりましたが、じつはカトリーヌへの給与は国からのものではなく、マリーが個人的に受け取っている寄付金から支払われていたからです。ロシア革命で破産して逃げてきて以来、家族を養うカトリーヌにとっては、この給与では足りません。

現在でもそうですが、科学研究所の所長が一番欲しいのは、優秀な研究者や助手、技官といったスタッフのための安定的な人件費なのですが、国が一番くれないのもこの「人件費」です。マリーはカーネギーやロスチャイルドなどからの寄付金をなんとかやりくりしたり、臨時の奨学金に推薦状を書いたりして、カトリーヌのような研究者の給与を払っていたのです。

ただし、カトリーヌが高校教師を辞めなかったことは、のちに一人の優秀な女性科学者を誕生させることになります。この、ロシア人高校の化学の先生は、やはりロシアからの移民、それもユダヤ系の移民だった一人の少女に、化学への愛とマリー・キュリーの科学的価値を伝え、その少女がフランス有機化学界の変革者になるきっかけを作ったのです。少女の名前はビアンカ・チューバ（一九一〇―一九九〇）。のちにビアンカが書いた『有機化学反応のメカニズム』（一九六〇年初版）は六か国語に翻訳され、当時の化学者の必須文献となりました。一九八一年のノーベル化学賞受賞者であるロアルド・ホフマン（一九三七―）が「あのころの若い化学者はみんな、この本をポケットに入れていたんだ」と私に教えてくれました。

音楽と科学を愛する兄妹

カトリーヌに話を戻しましょう。彼女は優秀な科学者であるだけでなく、哲学と心理学の研究者でもあり、心理学の本を出版しています。この広い好奇心も関係しているのかもしれませんが、彼女は作曲家である兄のことが大好きでした。湯浅が目撃した、カトリーヌの人間臭い一面を紹介して、この女性の話を終えたいと思います。

第二次世界大戦中、なぜかカトリーヌに気に入られた湯浅は、「兄の音楽を聴いてくれ」と言われ、音楽を専攻している友人を連れて、シャミエ家を訪問することになります。ところがこの「音楽」たるやとんでもない代物で、果てしなく長く、とても素晴らしい曲とは思えません。湯浅と友人の二人は辟易してしまうのですが、兄は周囲を意に介せず、いつまでもピアノを弾き、音楽への情熱を語り続けます。しかもカトリーヌはそれを満足そうに聞いているのです。もちろん兄は無収入です。ただの一度も、その曲が舞台で演奏されたり、レコードになったりしたことはありません。湯浅は、対象への「愛や情熱」と、その対象の「才能」は別物であることを思い知り、悲しい気持ちになります。あの、五〇年にわたる執念が生み出したすべての楽譜は、やがてただの紙切れとなる運命でしょう。

湯浅は「マドモアゼル・シャミエの場合は仕事の質もすぐれたものであり、熱情もその兄に負けないという事は同女史にとって幸いだった」（湯浅年子『科学への道』昭和二三年、四六―四七頁）という感想を漏らしています。でもきっとカトリーヌは、こんな兄の「かわいげ」を愛していたに違いありません。だから、兄を養うためにも高校教師をやめませんでした。

確かにラジウム研究所でのカトリーヌの給与は、同程度の男性科学者のそれと比較するとあまりにも低賃金です。これは移民だったからというよりも、やはり女性差別的な色彩の強いものだと言えます。ただ、このことが「シャミエ先生」の教えを受けた異色の化学者ビアンカ・チューバを生み、シャミエ兄妹はそれなりに満足していたのですから、じつはカトリーヌの兼業そのものは、ウイン＝ウインのお話だったのかもしれません。

アカデミーに認められた女性

一九一〇年の暮れから一九一一年の年始にかけて、フランスのあらゆる新聞が、マリー・キュリーがパリの科学アカデミー創立以来最初の女性会員になるか否か、という記事を書き立てていました。彼女がアカデミー会員に立候補したからです。一九〇三年のノーベル物理学賞の同時受賞者であったアンリ・ベクレルもピエール・キュリーも会員でした。しかも両者とも故人となっていましたから、当時のアカデミーには放射能の専門家がおらず、それを埋めるのにふさわしい人材がキュリー夫人だけなのは「科学的には」明らかなことでした。しかし「心情的には」そうではありません。女に参政権のなかった当時のフランス、先にも述べましたが、寡婦になったら誰か成人男性を立てて、法的代理人にしないと何もできないフランスにおいては、一七世紀の創立以来、男で独占してきたこの権威ある組織に、女が入ることはありえないと思う人々は少なくありませんでした。

投票権のある男性アカデミー会員だけでなく、マスコミもマリーの立候補を重大事件と考え、一月二三日の投票の日には、アカデミーの建物は新聞記者に取り囲まれる事態になったのです。結果は二票差でマリーの落選です。ノーベル賞も、ソルボンヌ大学教授という肩書も、「女をアカデミーに入れたくない」という男性科学者たちの心情の前に屈してしまいます。これ以降、マリーはどれほど再チャレンジを勧められても、二度とアカデミーには立候補しませんでした。

これから五一年後、マリーの立候補した正会員ではないのですが、科学アカデミーの歴史上初の女性通信会員になった科学者がいます。その名はマルグリット・ペレー。ポーランドを愛したマリーが新元素にポロニウムと名付けたように、フランスという国名からフランシウムと名付られた元素の発見者にして命名者です。

技官から科学者になる

マルグリットの経歴は今まで紹介した、そしてこれから紹介する女性たちとは、ずいぶん違っています。彼女は科学者を目指していたわけではありません。五歳で父を失ったマルグリットは、本当は医者になりたかったのですが、家計に余裕がなかったので、手に職をつけるために女子技術学校に進学します。一九二九年に技師見習いとしてラジウム研究所に入所し、放射線源の純化技術を会得します。マリーはマルグリットの腕を見込み、翌年から自分専属の実験助手に任命します。ただし研究所は小さくて家庭的だったので、マルグリットは他の人の手伝いもしていました。こうして本人はこのまま、技官として——論文を書いたりはせず、他の研究者の手伝いを自分の役目として——ここで勤め上げる予定でした。

話が変わったのはマリーの死後です。もしかしたらマリーもマルグリットの将来について何か考えていたかもしれませんが、じつはこの時期にはもはや、昔のきびきびした「キュリー先生」はここにはいませんでした。長年の放射能研究のせいで、体のあちこちに支障が出ていました。特に視力がやられていたために、昔ほどには実験や弟子たちの指導ができなくなっていたのです。ですから実質的にマルグリットを指導していたのはアンドレ・ドビエルヌとイレーヌ・キュリーでした。

特にマリーの死でラジウム研究所の所長となったドビエルヌは、この女性の高い能力を見抜き、研究者になるように勧めたのです。マルグリットはびっくりしました。まわりの科学者と自分は別の世界の人だと思っていたからです。けれどもドビエルヌ先生は真剣です。マルグリットは「自分の」研究を始めました。

一九三八年、高度濃縮アクチニウム源を作る研究でスペクトルを測定している時に、元素の周期律表の中で、その時まで空白だった87番元素、湯浅がアクチニウムKと書いている元素を発見します。これがのちに、イレーヌの勧めでフランシウムと名付けられる元素です。ラジウム研究所の研究者たちが、喉から手が出るほど達成したかった発見——キュリー先生のように新しい放射性元素を発見すること。それを成し遂げたの

ラジウム研究所で　前列（左から）：マルグリット・ペレー、レオニ・ラゼ、イザベル・アルシナール、ソニア・コテル。後列（同）：アンドレ・レニエ、アレクシス・ヤキマッハ、レイモン・グレゴワール、ルネ・ガラベール、郑大章、フレデリック・ジョリオ＝キュリー　1930年
〈所蔵：Musée Curie（coll. Institut du Radium）〉

は、大学に行ったことがないマルグリットだったのです。

一九三九年、マリーの友人で科学アカデミー会員のジャン・ペランは、この発見を科学アカデミーで報告し、同時にマルグリットはソルボンヌ大学に登録して、博士号の準備に取り掛かります。こうして一九四六年に国家博士号を取得したマルグリットは、名実ともに一流の科学研究者となり、ラジウム研で研究主任に任命されます。翌年にはストラスブールにできた原子力研究所の教授になり、自分が主導したセクションの長として活躍しました。一九五九年には研究所全体の所長になります。これは、マリーがラジウム研の所長になったのと遜色のない偉業です。確かにイレーヌもラジウム研究所の所長になりましたが、それはやはりマリーの娘だったことを無視できません。技官上がりの女性が、自分の業績だけで大きな研究所のトップになったという事実は、大いに注目されるべきできごとです。

一九六〇年にはレジョン・ド・ヌール勲章を受賞し、一九六二年、最初に述べたように、ついにマルグリットは女性初のパリ科学アカデミー通信会員になります。ただし、長年の放射能研究は彼女の体を蝕んでいました。じっさい、ソニア・コテルやイレーヌの体調不良を見ていたマルグリットは、ストラスブールの研究所では、放射能から研究者の身を守ることに非常に気をつけていました。少なくとも、後輩たちには自分やラジウム研の同僚のようにならないように配慮したのです。皆に惜しまれ、おそらくは放射線障害による癌で、一九七五年に亡くなりました。

女性の新しい職業

私たちはマルグリットの生涯から、新しい時代の変化を学ぶことができます。一つは、一九二〇年代のフランスでは、技術者という職業が看護師やお針子などの伝統的な「女の仕事」に加えて、家庭の経済的事情で「手に職をつけたい」女性にとって選択肢の一つになっていたことです。加えて、自分の才能に自覚のない若い女性に、「学者になるよう」薦める雰囲気がラジウム研究所の中にあったということです。これは特筆すべき要素です。

私たちは、男性のこうした出世物語はよく聞きます。じっさい、ピエールの教え子のポール・ランジュヴァン、そしてそのランジュヴァンの教え子のフレデリック・ジョリオなどは、家庭の事情で「手に職をつける」ために パリ市立物理化学学校に行って技術者になろうとした若い男性でした。ところが彼らの先生――ピエール・キュリーとランジュヴァン――はこれらの男子生徒の才能を見抜き、科学研究者になるよう励ましたのです。こうした、「先生が才能を見抜いた貧しい家の男の子の出世物語」はそこら中にあります。けれども女性の話は――女優や歌手などの芸能分野を除けば――そうそう聞きません。

ラジウム研究所では、科学的才能があるならば、性も人種も民族も国籍も問わず、その才能を開花させるような指導が行われたのです。マルグリットを見出したのは、マリーというよりドビエルヌやイレーヌでしたが、もともとこういう雰囲気を作ったのはマリーです。あるいは若きマリー・スクォドフスカの才能を見抜いたピエール・キュリーにまで遡ってもいいかもしれません。そしてこの傾向は、マリーの弟子たちが指導者となる研究室に受け継がれてゆくのです。

ナチスのユダヤ人迫害と女弟子たち

そのほかに注目される女性研究者に、オーストリア＝ハンガリー帝国生まれのユダヤ人エリザベト・ロナとマリエッタ・ブラオ（一八九四―一九七〇）がいます。初期の弟子もそうなのですが、この時期の弟子たちは、ほぼ例外なく第二次世界大戦に巻き込まれました。特にユダヤ系の弟子たちはナチスのユダヤ人迫害に翻弄されます。第一次世界大戦の敗戦国ドイツでは、一九三〇年代初めにナチス党が台頭し、戦時賠償金の重さに疲弊していた国民の不満をユダヤ人迫害に利用したからです。党が政権を握った後は、ドイツ領で生活していたすべてのユダヤ人は、徐々に市民としての権利を奪われてゆきます。これを助けて回ったのが、先にも書きましたがノルウェーのエレン・グレディッチでした。第一次世界大戦前の、ソルボンヌの小さな実験室の時代にマリーの弟子になったグレディッチは、その後も機会があればパリを訪れ、立派になったラジウム研究室で、昔馴染みとも、新しいメンバーとも親しくしていました。グレディッチは根っからの人道主義者です。ナチスによるノルウェー占領にもひるまず、命を懸けて仲間のユダヤ系科学者たちの亡命を助けました。そしてマリエッタもエリザベトも、グレディッチに命を救われた科学者だったのです。

原爆製造への協力

帝国のハンガリー側であるブダペストの医師の娘として生まれたエリザベトは、ブダペスト大学で有機化学の博士号を取得し、ドイツのベルリンやカールスルーエで研究職についたあと、ブダペストの科学研究所に戻ります。ここで行ったトリウム２３１についての研究が認められ、この分野で注目され始めます。研究は順調でしたが、母国は大きな変動を経験しました。第一次世界大戦の終了後、帝国は分裂し、ブダペストはオーストリアではなく、ハンガリー王国の首都になっていました。ですからエリザベトにとって、次に行くウィーンは、もはや外国であるオーストリアの首都だったということに注意してください。

エリザベトは一九二四年からウィーンのラジウム研究所の研究者となり、二六年には二か月の予定でパリに滞在します。パリのラジウム研で彼女を指導したのはイレーヌで、エリザベトはここで強力なポロニウム源の作り方を学びました。その後ウィーンに戻って研究を続け、一九三八年には中性子の放射による放射性同位体の作成研究によって、ウィーン科学アカデミーのハイチンガー賞を受賞しています。こうしてエリザベトの優秀さは放射能研究者の間で広く知られてゆきます。しかしナチスはそんな科学上の功績など、なんの考慮もしてくれません。オーストリアではすべてのユダヤ人の命が危険にさらされていました。この年の三月、この国はナチス・ドイツに併合されてしまったからです。エリザベトは、もうウィーンのラジウム研にはいられません。

ここで登場するのがグレディッチです。彼女は一九三九年から四〇年の冬にエリザベトをオスロ大学に呼び、ナチスの迫害から守ろうとします。そのあとエリザベトはいったん、まだナチスに占領されていない故郷ハンガリーに戻り、翌一九四一年、ついにアメリカに亡命します。アメリカはこの優秀な女性、核分裂の発見者の一人でもあるオットー・ハーン（一八七九―一九六八）にも称賛された放射能研究者エリザベトを見逃しませんでした。政府は彼女に強力なポロニウム源の作成を依頼します。それはかつてパリでイレーヌに学んだ技術です。こうしてエリザベト・ロナは、のちにマンハッタン計画（アメリカの原爆製造計画）に参加したただ一人の女性科学者と言われることになりました。

エリザベトは戦後もアメリカにとどまり、オークリッジやマイアミ大学の研究所で研究を続け、晩年にはオークリッジで回想録などを著して、一九八一年にそこで亡くなりました。

もう一人のユダヤ人女弟子

マリエッタ・ブラオは、同じオーストリア＝ハンガリー帝国でも、オーストリア側に生まれたユダヤ人です。父は裕福な弁護士で、学業優秀なマリエッタはウィーン大学に入学し、一九一九年にγ線の研究で博士号を取得しています。つまりマリエッタはこの最初の段階ですでに放射能研究を行っていました。博士号取得後は、主に放射線医学の研究に携わり、ドイツのベルリンやフランクフルトで研究を続けました。その後一九二三年から三八年まで、ウィーンのラジウム研究所に所属します。ここでエリザベトと同僚になり、共同研究も行いました。しかもここでのマリエッタの上司は、マリーと親しいステファン・マイヤー（一八七二―一九四九）という研究者でした。パリがマリエッタの射程に入ってきます。

これだけ見るとマリエッタのキャリアは順調に見えるのですが、じつはここまでのほとんどの研究者人生は無給の仕事ばかりで、彼女の生活を支えていたのは裕福な父からの援助でした。もっと詳しく言うならば、フランクフルトでだけは有給の助手職についていたのですが、一年ほどで母の病気のためにそこを退職してウィーンに戻ったのです。やはりこんな時、家族の看病は夫や息子ではなく、常に「娘」の役割なのです。

そんなマリエッタも、一九三二年に奨学金を獲得してゲッチンゲンの研究所に滞在した後、翌年の春にパリのラジウム研究所に行くことになります。マリエッタはマリーのところの研究方法を身につけ、放射線を帯びた粒子を写真撮影する技術において特に優れた能力を発揮しました。マリエッタはパリで、科学者としてのマリーに深い感銘を受け、フレデリック・ジョリオをはじめとした所員にも歓迎されて、この町での自由な研究生活を満喫します。ちょっとだけ笑ってしまうのは、タバコについての不満の話です。喫煙者の彼女はマイヤーにこんな風に愚痴っています。

一つだけパリで不満なことは、キュリー研究所では喫煙が許されていないことです。それでも一人だけタバコを吸っている所員がいて、それが〔フレデリック・〕ジョリオなのですが、ひとたび妻〔イレーヌ〕に現場を見つかると、怒られるという具合です。

(B. Strohmaier & R. Rosner, 2006, p. 41.)

マリエッタは、イレーヌよりフレデリックの方を気に入っていたのですが、理由はこんなところにあったのかもしれません。

一九三三年の夏にウィーンのラジウム研究所に戻ってから、指導していた女子学生と一緒に、原子核乳剤の中で宇宙線によって引き起こされる原子核の崩壊を観測した功績で、一九三七年にはウィーンアカデミーの賞を受賞しました。これはノーベル賞の前段階とまで言われていた権威ある賞でした。しかしエリザベト同様、マリエッタにもナチスの毒牙が迫っていました。いえ、マリエッタの方がオーストリア国籍だった分、ハンガリー人のエリザベトより危険でした。ここでもまた、グレディッチが助け船を出します。ちょうどこのころウィーンのラジウム研究所に来ていて、マリエッタの危機を目撃していたのです。

一九三八年の、ナチスによるオーストリア併合直前に、マリエッタはウィーンを脱出します。ノルウェーのグレディッチのところに行って一緒に研究するためです。オーストリアには絶対戻れません。ここに登場するのが、以前からマリエッタにウィーン脱出を勧めていた同じユダヤ人科学者のアインシュタインです。アインシュタインは、写真技術によって宇宙線を探るというマリエッタの研究に常に興味を持っていました。彼の紹介状を頼りに、母と一緒にまずはメキシコに亡命します。ところがアインシュタインの想像とは反対に、この国ではまだ十分に放射能研究の素地ができていませんでした。加えて、メキシコはヨーロッパに比べると、ずっと男性中心的な社会だったので、マリエッタはほとんど専門的な研究ができません。結局母の死後はアメリカに移住します。戦争中はアメリカやカナダのラジウム産業に関与し、戦後はアメリカの大学や研究所で、一番得意だった放射性粒子を捉える写真技術についての研究に従事しました。

ノーベル賞を逃す

こうして遠くアメリカで有給の研究職についていたマリエッタですが、ヨーロッパで彼女の功績を正しく見ていた人物がいました。なんとエルヴィン・シュレディンガー（一八八七―一九六一）が、彼女をノーベル物理学賞の候補者に推薦したのです。一九五〇年のことでした。ウィーン時代にマリエッタの学生であり共同研究者だったヘルタ・ワムバッハ（一九〇三―一九五〇）も一緒で、この二人の開発した、原子核乳剤によって宇宙線を探る研究が推薦理由でした。

残念ながら受賞はなりませんでした。推薦された人間全員が受賞するわけではないので、それはよくあることですが、問題は、この時の受賞者がマリエッタたちの生み出した技術を利用してパイ中間子を発見したセシル・パウエル（一九〇三―一九六九）だったことです。今なら共同受賞になるような例でしょう。けれども当時のノーベル委員会は、マリエッタをここに加えませんでした（ワムバッハは推薦されたころに亡くなりました）し、パウエルも自身の受賞講演で、彼女たちの発見には一言も触れませんでした。これは公正とは言えない行為です。シュレディンガーは憤慨し、もう一度候補に推しますが、この時も受賞できませんでした。マリエッタはこの他にハンス・シリング（一八八八―一九七六）にも推薦されたので、合計三度ノーベル賞に推薦されています。

マリエッタは悔しかったでしょうか。多分。でも、母国オーストリア出身の科学者たちが自分の実力を認めてくれたことには感動していたと思います。そうこうしているうちに、放射能研究が彼女の体を蝕んでいました。病気が明らかにになったマリエッタは、母国での手術を望み、一九六〇年にオーストリアに帰国しました。シュレディンガーが亡くなったのはこの翌年です。そしてその次の年の一九六二年、オーストリア科学協会は、マリエッタにシュレディンガー賞を授与しました。かつての亡命ユダヤ人科学者の功績が、ついに本国で認められたのです。マリエッタは病と闘いつつ、古巣ウィーンのラジウム研究所で後輩の指導を続けていましたが、一九七〇年、長い入院生活の後でこの世を去りました。遺言によりその遺骸は、父の墓所に埋葬されました。

母国で女性第一号に――ウクライナ初の女性大学教授

マリー・キュリーの生涯で女性第一号というものを数えだしたらきりがありません。フランス初の物理学研究による女性理学博士。セーヴル初の女性教授。ソルボンヌ大学初の女性教員、ノーベル賞初の女性受賞者、などなど。この「女性第一号」という形容は、マリーの女弟子の多くにも使われました。先のマルグリット・ペレーもパリ科学アカデミーの女性通信会員第一号です。でも、一番多い女性第一号は、多分外国人の弟子たちが、母国に帰ってから就職した大学で女性教授第一号になった例でしょう。このタイトルで特筆に値するのはポーランド、オランダ、ポルトガルからやってきたアリシア・ドラビアルスカ（一八九七—一九七五）、アントニナ・エリザベト・コルヴェゼ（一八九九—一九七八）、ブランカ・エドメ・マルケス（一八九九—一九八六）です。

アリシアはマリーと同じ、ロシア帝国占領下のポーランドに生まれたポーランド人です。世代が少し後ですので、マリーと違ってロシア領内で大学教育を受けることができました。この世代の少女たちにとっては、自分の大学進学について考える年齢で、キュリー夫人はすでに世界一有名な女性科学者でした。科学を愛する少女なら、しかもそれがポーランド人ならば、マリー・キュリーがロール・モデルになるのは当然です。もちろんアリシアもそんな少女の一人でした。

アリシアはモスクワ大学を卒業したあと、一九二二年に博士号を取得して、ワルシャワの科学研究所に勤めていました。この翌年、素晴らしいことがありました。かのキュリー夫人が、ラジウム発見二十五周年記念でワルシャワにやってきたのです。それは、独立したポーランドにもラジウム研究所を作りたいという、マリーの熱意の旅の一環でした。研究所ができるのは一九三二年のことですが、マリーは事前に何度もワルシャワを訪れ、その準備をしていたのです。当然、ポーランドにおける個々の放射能研究者の状況についても気にかけていました。アリシアはマリーに気に入られ、パリに誘われます。一九二五年の秋から一年間ラジウム研究所に所属し、放射性元素の化学反応で放出されるエネルギーについて研究しました。じつはこの時マリーはとても体調が悪かったのですが、そのせいでよけいにポーランド語の通じる相手がうれしかったのかもしれません。アリシアは個人的にもマリーと親しくなり、研究所と自宅の送り迎えでマリーを助けたこともありました。

一九二六年にワルシャワに戻ったアリシアは、三年後にはワルシャワ工科大学の助手になります。その年にまたパリのラジウム研に戻って、イレーヌと共同研究をしたりもしました。こうしたパリ滞在で、やはりパリによく来ていたエレン・グレディッチとも親しくなります。パリとワルシャワで着実に業績を積み上げていったアリシアは、一九三四年、今はウクライナに属している、当時はポーランド領にあったウクライナ大学の女性教授第一号になります。エレンはアリシアを見込んで、弟子の一人を彼女の研究室に留学させたりもしています。アリシアのキャリアは、当時の女性としては大きな出世だったと言えるでしょう。ただし、この地域は、ワルシャワ以上に政治的に複雑なところでした。

東ヨーロッパの複雑な政治情勢

そもそもワルシャワだって、アリシアが生まれた時にはロシア領でした。けれどもウクライナ地方の歴史はもっと複雑で、長きにわたって多くの国に支配され、この時期、つまり第一次世界大戦後のポーランド独立に際してはその大部分がポーランド領に組み込まれていました。しかもポーランドとは言いつつも、この地域はワルシャワと違ってポーランド系住人の割合が非常に低いところなのです。ここには多くのウクライナ人やユダヤ人が暮らしており、表面的にはおだやかでも、この三民族の共存社会の根底には、常に緊張状態がありました。日本人の目からは区別がつきにくいでしょうが、そもそもこの三民族は、基本的に言葉も宗教も異なっているのです。

特にウクライナ人は、かつてのポーランド人のように、民族の独立を目指していました。領土拡大を狙っていたナチス・ドイツとソビエト連邦は、こうしたウクライナ地域の弱点を徹底的に利用し、この場所は第二次世界大戦時にこの二大国に翻弄されることになります。ポーランドの大義に生きるアリシアは、こうした政治状況の中、ポーランド青年民主連合委員になってこの地を去ります。

戦争が終わった一九四五年には、昔勤めたワルシャワ工科大学の、今度は教授になりました。しかし数年でロッズ大学に移り、定年までそこで勤め上げました。アリシアは戦後、再びロシアならぬソ連の強い影響力下に置かれた祖国ポーランドをどう思っていたのでしょう。東欧のこの状況は、島国日本の人間には、なかなか理解の難しい問題です。

オランダの女性第一号

アントニナ・コルヴェゼはオランダ人で、両親ともが女性解放思想の持ち主という、リベラルな家庭で育ちました。父の職業はプロテスタントの牧師ですが、この、「牧師の娘」というのはプロテスタント諸国における女性知識人としてよくあるケースです。有名な例は、イギリスの作家ブロンテ姉妹（シャーロット〈一八一六—一八五五〉、エミリー〈一八一八—一八四八〉、アン〈一八二〇—一八四九〉）でしょうか。変わったところで、明治時代の日本にやってきた冒険家イザベラ・バード（一八三一—一九〇四）も牧師の娘です。教育を重視した両親に育てられたアントニナは、一四歳での父の死後も教育を妨げられることなく、デルフト工科大学で科学を学び、一九二四年に学士号を取得しています。

卒業後はそこの助手となり、化学分析の仕事をしながら博士号の準備を始め、一九三〇年に博士号を取得しました。この時の指導教員がマリー・キュリーと親しい科学者と知り合いだったことから、ラジウム研究所行きを勧められました。同じ年の秋から二年間パリで修業をし、その後オランダに戻り、デルフト工科大学で放射能について教鞭をとります。しかしここにもナチス・ドイツの影が忍び寄ってきました。オランダはナチスに占領されましたが、アントニナは唯一、自由が確保されていた国境の町ヴェンロで工場の技術系研究者として働きます。

戦争が終わってオランダが解放されると、再び大学の仕事に戻ります。こんどはデルフト大学でした。最終的には一九五五年に古巣のデルフト工科大学の女性教授第一号になりました。ただ、これは少しばかり訳ありポストで、他の科学関係の教授ポストのように研究チームが付属していないので、いささか孤立した立場でした。その点では、ピエールの後任として最初から学生や助手を持っていた、ソルボンヌ大学初の女性教師のマリーとは、同じではなかったと言えるでしょう。

オランダは優秀な女性科学者を中途半端に遇したことを後悔したからでしょうか、デルフト大学では一九八九年になってから、アントニナ・コルヴェゼの名を冠した賞を設立しました。

ポルトガルの女性第一号

ブランカ・エドメ・マルケスは、ポルトガルの首都リスボンの生まれで、アントニナ同様、幼くして父を失いました。しかし、やはり教育熱心だった母の支援で、一九二〇年にリスボン大学理学部に進学します。

同時にリスボン工科大学でも化学分析の訓練を受けるなど技術を磨き、一九二五年にリスボン大学理学部助手のポストを得ます。専門は物理化学、有機化学、分析化学でした。これはリスボン大学では女性第一号のポストでした。ブランカはこのころにこの大学教授だったトレスと結婚してトレス夫人になります。

やがてポルトガルでも、放射能の研究所を作ろうという話が出てきました。問題はスタッフです。ポルトガル人の専門家を養成する必要があります。ブランカはマリーに、奨学金を得たので、そのためにラジウム研究所で研修を受けたい旨の手紙を書きます。こうして一九三一年の秋からパリに行き、ラジウム研のテクニックを学び始めました。

母国の放射能研究所の立ち上げのために、まず身につけるべきなのは、鉱物の中に含まれるラジウムの含有量の測定方法です。これを取得してのち、マリーからラジウムを含むバリウム塩の分別結晶法の条件の決定という新しいテーマを与えられます。ブランカなら、既存の知識以上のものを得るだろうとマリーは見込んだのです。そのためにマリーは、この女性の奨学金の延長まで願い出ています。これはブランカその人に期待していたこともあるでしょうが、世界中にレベルの高い放射能研究所を作りたい、というマリー自身の願いのためでもありました。最初にスタッフとなる研究者には、それなりの知識と技術を身につけてさせてから母国に返したい、という気持ちがマリーの中にあったに違いありません。ただ、マリーの寿命はもうそんなに残っていませんでした。

マリーの生前には、ブランカはパリ科学アカデミーの機関誌に研究ノートを発表しただけでしたが、マリーの死後はアンドレ・ドビエルヌの指導により、フランスで博士号を取得しました。こうしてブランカは、誰にも文句を言わせない資格と技術を得て、一九三五年にポルトガルに帰国します。翌年にはポルトガルでも博士号を取得しますが、ついたポストは放射能研究所ではなく、リスボン大学の放射化学の講師でした。四二年には助教授に昇進して、この大学の原子核化学や放射化学の部門を発展させます。他の人であれば、ここで第二次世界大戦に巻き込まれる、という話になるのですが、ポルトガルの中立政策はこの国に他国の軍隊が入ることを防ぎました。ブランカはラジウム研究所の仲間たちの多くとは異なり、引っ越しも亡命もなく、戦後の一九四九年には教授「資格」を獲得します。ただし、これは「資格」であって、ポストの空きがないと本当の教授にはなれません。ブランカが現実の「教授」になるのは一九六六年で、これがポルトガルの大学の理学部で女性教授第一号です。そしてブランカはこの間、何度もラジウム研究所を訪れ、最新の情報と友情を維持し、第一線の研究者として、一九六七年にパリで開催されたマリー・キュリー生誕百年記念行事に出席しました。

お料理とお裁縫とお掃除と――「兼業主婦」マリーの告白

さて、立派な弟子の話ばかりしてきましたので、ここでハリエット・ブルックスのところで少しだけお話しした、結婚や出産・介護で研究所を去ろうとした女性と、マリーについての面白いエピソードについてお話ししたいと思います

じつは最終的にはまた科学者として働きだすのですが、結婚が決まった時には専業主婦になるつもりだった一人の女性がいました。ヴェイル夫人になろうとしていたアドリエンヌ・ブランシュヴィック（一九〇三

一九七九）です。一九二二年にラジウム研究所に入所したアドリエンヌが、四年後の一九二六年、結婚退職して夫の赴任先に行くとマリーに報告した時、ピエールとの結婚の日々を思い出したマリーは、こんな話をしたのです。

あなたはきっと、これから思いもよらない大変なことに出会うと思いますよ。私はね、結局ただの一度も、お台所を上手にお掃除するやり方を会得することができなかった。モップといっしょに床のあたりにバケツを置いていたのだけれど、バケツを動かすと、いつでもそのあたりのお掃除が全部やり直しになるんですよ。なぜだか、一度もちゃんとできた試しがなかったの。

（N. Pigeard-Micault, 2013, p. 57.）

アドリエンヌは、「原子の話をするのと同じ調子で」マリーが語ったこの話が忘れられなくて、何かの講演の折に披露したそうです。なんだかくすっと笑えて、心温まるお話ではありませんか。これはお料理というよりお掃除の話ですが、じつはピエールとの結婚が決まった時のマリーは、台所の掃除どころか、お料理が全然できませんでした。お裁縫はとても上手だったのに、です。マリーは料理が嫌いだったのでしょうか。

「家庭科」教育の変遷

じつはこの偏りは、当時の女子教育のカリキュラムと関連しています。現在の日本では家庭科というと男女共修で、教科書の内容はじつに多岐にわたり、文理融合の総合科目と言っていいでしょう。私（一九五九年生まれ）のころは、中高の家庭科は女子だけの必須科目で、内容は主に被服・栄養・保育・家庭経済だったと思います。しかしマリーの時代は全然違っていました。日本でも欧米でも、その昔は家庭科のような科目の目玉は、何といってもお裁縫でした。なぜなら既製服の時代は二〇世紀も後半からで、庶民の服は基本的に、家族の女たちの手作りだったからです。じつに第七章に出てくる、マリーの二番目の日本人弟子小野田忠の義母などは、家族の着物（下着も含めて）を全部縫うから、という条件で両親から上級学校への進学を許されたのです。今では考えられません。仮にあるとしても、「家族の食事を全部作るから」の方でしょう。かつてのお裁縫は女性にとって、それほどまでに重要な仕事だったのです。

優等生で、いつもオール5の成績だったマリーは、当然お裁縫の成績も良かったのです。しかしお裁縫の技術とは対照的に、この時代は学校で料理など教えませんでした。つまり調理実習の時間はなかったのです。これは同時期の日本の女学校でも同じことで、理由は二つあります。よく考えればわかることですが、調理実習をするには、化学実験室のような設備が必要です。要するにお金がかかるのです。だからほとんどの女子校には、そんな設備はありませんでした。もう一つの理由は、料理は家で母や祖母から習うもの、という社会通念があったことです。多くの場合、料理を学校で教える、という発想そのものがありませんでした。

一〇歳で母を亡くし、その後は女性の親戚や使用人、あるいは姉のブローニャが家事をとりしきっていたマリーの家では、この末っ子の女の子にまで料理を教えるだけの余裕のある女性などいませんでした。かくしてマリーはお裁縫が完璧なのに、お料理が全然できない状態のまま、ピエールと婚約したのでした。繰り返しになりますが、料理は化学実験に似ているので、もしも学校の科目にあれば、きっとマリーは上手になったでしょう。しかし何も習っていないので、最初はむちゃくちゃでした。

しかも、いくらピエールが開明的な男性だったとはいえ、当時の男には家事分担などという発想はありません。ピエールは妻と共同研究することを当然と考えてはいましたが、同時に、妻が家事をするのも当然だと思っていました。それはマリーも同様です。ですから料理のできないマリーは、この期に及んでものすごくあせりました。マリーはパリにいたブローニャやその姑さんから料理の特訓を受け、なんとか結婚式の日に間に合わせましたが、それはソルボンヌ大学の学士号取得より大変な「お勉強」でした。毎日の家事をこなしているうち、中でも化学実験との類似が大きい、果物ゼリーやシチュー作りは得意になりましたが、この話から察するに、台所のお掃除は最後まで苦手だったようです。

いろいろな女弟子たち

第四章でも少し言及しましたが、マリーにはもう一人、エレン・グレディッチの女弟子、つまり弟子にして孫弟子がいます。のちにハンネボルグ夫人になるソニア・デディシェンです。ソニアはオスロ大学の学生の時にエレンの教えを受け、一九二五年から一年間ラジウム研究所で研究しています。ソニアの指導に当たったのは、もう一人のソニア、エレンと並んで人望の厚かったソニア・コテルでした。

ソニア・デディシェンの経歴は、先生だったエレンの友達のレズリーのものに似ています。つまりハンネボルグとの結婚以降は、基本は夫の生活に合わせ、自分は細切れのポストにつきながら研究を続けました。

それでも単なる「お手伝い」にならず、六九歳の一九七一年まで論文を発表し続けたのですから、やはり強い意志を失わなかった女性であると言っていいでしょう。エレンはずっとソニアを見守り、研究したいと言う教え子の姿勢を支持しました。

それでも、ソニアもレズリーも、結婚と仕事を両立したというだけで、当時としては例外的だったと言っていいでしょう。というのも、ハリエット・ブルックスのところで見てきたように、このころは結婚で研究を断念した女性の方が多いからです。断念と言っても、専業主婦になるのではなく、セーヴルの教え子リュシエンヌ・ファバン・ゴッスのように、研究者というよりは中等教育機関、つまりリセやコレージュの理科教員になった女性も複数います。残念なケースとしては、ユダヤ人であったため、迫りくる迫害の空気に耐えられなくなったのか、戦争がひどくなる前に本人は自殺してしまい、残された家族も皆、強制収容所などで虐殺されてしまった女性もいました。そして一番悲惨なことは、こういう話は当時珍しくなかった、ということです。男弟子も同じですが、第二次世界大戦をその生涯に含んだこの時期の弟子たちに関しては、ラジウム研究所を退所した後の足跡は本当にさまざまです。

それでも、紆余曲折はあれ、全体として見れば女弟子のうち最低でも七五パーセントが、いわゆる定年のころまで何らかの仕事を続けています。残りの二五パーセントの中には不明者がいるので、仕事を継続した女弟子の実際の割合はもっと高いと思います。というのも、わかっている既婚者だけで見ても、子育てなどの中断を含めても、八六パーセントが何らかの形で仕事を継続しているからです。結婚で完全に仕事をやめたハリエット・ブルックスのような女性の方が例外的です。マリーの女弟子は、やはりこの時代としては仕事を継続した女性が非常に多い、きわめて珍しい女性集団だったと言えると思います。

もう一つ珍しいと言えば、マリー（六六歳で死去）を含めても、ソルボンヌ以降の女弟子の平均寿命が七〇歳だということです。乳幼児死亡率が高かったとはいえ、当時のフランス女性の平均寿命は四〇歳代だったのですから、成人になった女性だけで計算しても、七〇歳という平均寿命は長いと思います。ですから、放射能研究を若い時に経験した人間の集団にしては、ラジウム研究所には長生きした女性が多かったとも言っていいでしょう。

ルパンとラジウム

ルパン（三世ではありません、一世です）とラジウムに何の関係があると思われるでしょう。でも、関係があるのです。「癌に効く」と宣伝されたラジウムは、その発見の最初のころから有名でした。マリーが二回もアメリカに招待されて、パリやポーランドのラジウム研究所のための莫大な資金集めができたのは、ラジウムのこのイメージが大きく関係しています。「女性科学者」はなるほど目立つ要素ではありましたが、もしもマリーの発見が医療と関係ないことがらだったら、ここまでの名声や、まして大金が動くことは無かったでしょう。

こうした「薬」と関係するようなラジウムのイメージ、しかも暗闇で光るという不思議な性質を持つこの元素は、当時の多くの芸術家や作家たちに、さまざまなイメージを喚起したのです。そして「怪盗ルパン」の作者、モーリス・ルブラン（一八六四—一九四一）もその一人でした。ルブランはルパンシリーズの中に何度かラジウムを登場させます。特に第一次世界大戦中の話である『三十棺桶島』は、ラジウムそのものが物語の核心にあるサスペンス・ドラマです。

ルブランはルパンを、基本は一八七四年生まれに設定しています。一八六七年生まれのマリーから見れば、少し年の離れた弟くらいの世代です。そしてルパンは、この時代のフランスの知識人男性の、ある種のタイプを代表しています。信仰を持たず、儀式や聖職者を表立って侮辱したりはしませんが、神を前提としない生活をしています。古いしきたりも守りませんし、迷信も信じません。じっさい、迷信をあからさまに嘲笑しています。そして何と言っても、ルパンは近代科学を手放しで称賛する人物です。新しい発明や発見には目がなく、自分の泥棒稼業にも、最新の科学技術をすばやく取り入れます。ピエールが「馬車」に轢かれたころ、ルパンはとんでもないスピードで自動車を乗り回していました。

もちろんこれはフランスでは多数派の態度ではありません。まだまだフランスはカトリックの影響の強い国でした。ですから一九一一年の科学アカデミーの選挙の時に、マリーの対抗馬は敬虔なカトリック教徒のエデュアール・ブランリー（一八四四―一九四〇）で、そして勝利はブランリーに下ったのです。同じ年に起きたランジュヴァン事件でも、マスコミにとっての重大な焦点の一つに、無神論の科学者たちの台頭という問題がありました。じっさい、不倫の是非よりこちらの方が重要だったかもしれません。この事件は「カトリック教徒から成るフランスの伝統文化を守る人々」対「無神論の科学者たち」の事件なのだと、露骨に主張するジャーナリストまで現れました。保守派の目から見れば、科学者も科学そのものも「伝統の敵」なのです。科学技術を支持し、ラジウムを大発見と見なし、神を信じないルパンの哲学から言えば、彼がその場にいたならば、どちらの事件でもマリーの味方に付くはずです。

ただ「はず」ではあるのですが、本当にそうなるかはわかりません。ここにジェンダーの問題が入ってくるからです。これだけ科学やラジウムのひいきをしているルパンを創造したルブランですから、そのラジウムの発見者がキュリー夫妻であること、夫の死後に夫人がラジウム研究所を設立して、そこで所長をしていることを知らないはずがありません。それでも、第一次世界大戦が終わり、ラジウム研究所に多くの女性研究者、それもフランス出身の女性たちが入ってくる時代になっても、ルパンの世界では女性の職業は伝統的なイメージのままです。ではモラルもそうかというと、こちらはそうでもないのです。

女性の「運命」――美しき公爵令嬢の「自由」とは何か

ルブランの死後に発見されたルパンシリーズの原稿、一九二一年のパリを舞台にした『ルパン、最後の恋』（二〇一三年発行の日本語訳では『リュパン、最後の恋』になっていますが）で、ルブランはヒロインの父親にこんな風に語らせています。これは、由緒ある家柄の公爵である父が、若く美しい娘に残した遺言で、自分の死後の身の振り方への忠告です。ルパンと公爵がお互いを高く評価していることを前提として、これをお読みください。

女の一生は〔男のそれより〕運に左右される。おまえたちは、我々〔男〕のように、職業を持って世に出る機会を与えられていない。恋愛だけが女の選ぶことのできる道だ。だから娘よ。愛に向かって進め。おまえは若く、美しく、情熱的だ。おまえにふさわしい男を選べば、おまえは幸せになれるだろう。〔……〕女同士の友情は当てにしてはならない。〔……〕もし、官能の喜びが欲しいならためらうことはない。

(M. Leblanc, 2012, pp. 51-52.)

性についてはずいぶん大胆な忠告です。当然この時代の道徳、それも女性の「あるべき姿」からは、大きくはずれた考え方です。世間の評判など気にせずに、性の喜びを満喫せよと公爵は言ってのけるのです。そして、確かに「狂乱の二〇年代」は、その前の時代よりは性のたがもゆるみ気味ではありました。じっさい、この同じルパンシリーズでも、一九〇八年ごろが舞台になっている『緑の目の令嬢』では、このような自由な性行動は、女性では芸術家（小説の中では歌手）にしか許されないことになっています。一九二〇年代であっても、この基本は大きくは変わっていないと思います。ですから公爵のこの忠告は非常に珍しいと言っていいと思います。

ところが、性におけるこの大胆さとはうらはらに、公爵は女の職業をまったく認めていません。女が仕事で世に出ることはできないと言い切っています。ルブランはルパンシリーズで、あれだけ称賛してきたラジウムの発見者、キュリー夫人が「職業上の成果で世に出た女性」であることを忘れてしまったのでしょうか。もしも娘が公爵令嬢だから、庶民の女のように職業になどついてはいけない、というのが公爵の趣旨ならそう書けばいいでしょう。女全部を一緒くたにすることはないはずです。ルブランは、女性が仕事について世に出ることができないと、本当に信じていたのでしょうか。

じつは、ルブランと女性アカデミー会員についての面白い事実がわかっています。マリーがパリの科学アカデミーに立候補した一九一〇年の暮れに、ある新聞が「もしアカデミー・フランセーズ（文学・言語アカデミーのこと。やはり女性会員は創立以来ゼロ）に女性を入れるとしたら誰が適当か」というアンケートを実施した時、ルブランはこれに答えて即座に複数候補を挙げているのです。それは社会に波紋を投げかけていた三人の作家、コレット（一八七三―一九五四）、セヴリーヌ（一八五五―一九二九）、ラシルド（一八六〇―一九五三）です。彼は女性のアカデミー入りに反対していませんし、仲良しの妹ジョルジェット・ルブラン（一八六九―一九四一）の職業は歌手でした。科学をどう考えていたのかは知りませんが、少なくとも文芸においては、ルブランは女性の力を認めています。

ただ、ルブランの本音がどうであっても、ルパンシリーズが大衆小説である以上、ロマンスの部分は別として、その他のことで当時のフランス人の一般的なジェンダーイメージを外れるような想定をするのは難しかったと思います。ですから、この部分のルブランの描写は、「フランス一般（の夢も含む）」を代表していると見ていいと思います。若く美しい公爵令嬢が性の自由を謳歌しても構わないけれど、この令嬢が科学者になって経済的に独立し、なおかつルパンを恋人にするという設定の本では売れなかっただろう、ということです。

確かにこの時期、「娘をキュリー夫人みたいに」という親が出てきていたのは事実です。女子のための技術学校が開校され、マルグリット・ペレーのような例、「科学技術で手に職をつける」ことも選択肢の一つになっていました。ただし、これはやっぱり例外的な考え方であり、たいがいのフランス人は「女は仕事で世に出られない」と思っていたでしょう。そしてそれはまったくの事実無根の言説というわけでもありませんでした。

女性の職業選択

たとえばカトリーヌ・シャミエのことを考えてみるに、自分の名前を冠した現象があるような男性科学者が、高校の先生と兼業しなければならないほどの安月給で働き続ける、などということがありえたでしょうか。アンドレ・ドビエルヌは確かにマリーに尽くしましたが、べつに安月給ではありません。研究員や教員のポストをつなぎ、つないで、というメイ・シビル・レズリー（ハミルトン・ブル夫人）やソニア・デディシェン（ハンネボルグ夫人）などのキャリアは、既婚女性特有のものです。この時代に、既婚男性が妻の仕事先に合わせて、そんな職業生活を送ったという話は聞いたことがありません。

じつはルパンに出てくる先の公爵は、有能な外交官だったのですが、妻の死後にすべての仕事をやめ、娘の養育にだけ専念した「イクメンパパ」の設定になっています。しかしこれは「自分の選択」です。べつにそんなことをする必要などなかったのです。いわば趣味のようなものです。けれども、マリーの女弟子の既婚者たちが、職を転々としたのは趣味ではありません。「妻が夫に合わせる」という、当時の法であり規範であるものに従った結果です。もしそんな規範がなかったら、そしてどういう形であれ、子育て支援や安価な家事補助があったなら、最初の職を続けていた、あるいはキャリアアップを狙ったことでしょう。

一九二九年にパリ病院連合薬学部門で、女性初の金賞を受けたマリーの女弟子、マルト・ルブラン（この時はルナール夫人）（一九〇四―一九六七以降）は、「男性は結婚によってその生き方を変えないが、女性はそうではない」（N. Pigeard-Micault, 2013, p. 143.）と雑誌のインタビューで答えています。これは先の公爵の遺言の「おまえにふさわしい男を選べば、おまえは幸せになれるだろう」とつながる言葉です。要するに、妻から夫への影響より、夫から妻への影響の方が大きいのです。マリー・キュリーその人にしても、もしもピエールがあんな形で死ななかったら、ソルボンヌ大学教授になり、ラジウム研究所所長になれていたでしょうか。二度目のノーベル賞が、一度目のように夫妻の受賞だったら、最初の賞の時からマリーにつきまとっていた「研究の主体はピエールで、妻はそのお手伝い」といううわさは、ますます強固なものになっていたかもしれません。少なくとも、その評価や社会的地位が、今と同じでないことは確かでしょう。

ただ、マリーの女弟子たちの足跡を見ると、ルブランの公爵が思っていたよりは、女「たち」が伝統的でない職業で「世に出て」いるのは確かです。そして外からでもよくわかる一番の違いは「女同士の友情は当てになる」ということです。一番見えやすいのはエレン・グレディッチとその仲間たちですが、戦争を生き延びて、一九五七年のマリー・キュリーのソルボンヌ大学初講義五十周年や、一九六七年のマリー・キュリー生誕百年記念の式典に来た女弟子たちの残した言葉を見ていると、セーヴルやソルボンヌ大学、ラジウム研究所で培われた女同士の友情、キュリー先生と彼女たちとの絆の強さがどれほどのものだったかがよくわかります。ですから、少なくともマリーとその周囲の女性科学者たちの間では、「事実は小説より」、そして一般的イメージよりもずっとずっと進んでいたのです。

コラム5

中性子と人工放射能――ジョリオ＝キュリー夫妻の失敗と成功

コラム4のところで述べた原子核が発見されてからこのかた、物理学者たちは「元素の原子核は皆、いくつかの水素の原子核（陽子）と電子から成っている」と考えていた。つまり現在でいう「中性子」の存在は想定されていなかった。この中性子も、放射能の研究の中から見つかることになる。

一九一〇年代には、ラザフォードとソディが一九〇三年に提唱した放射能の原子転換説はさらに洗練されたものになっていた。ウランとラジウムやポロニウムの関係――時間がたつと、ウランからα線やβ線が放出されて、それがラジウムやポロニウムになり、最後は鉛となって放射能を失うという、現在認められているウラン系列とほぼ同様のプロセス――が確認されたことを、ソディが一九一三年に発表している。やはり無からエネルギーが出てきたりはしなかったのである。

この研究から、原子番号は同じ――陽子数は同じ――だが、質量数の異なる原子、あるいはそれから構成される元素の存在も導かれ、翌年にソディがこれを同位体（アイソトープ）と命名した。これが成り立つには、陽子と同じ質量だが、電荷を持たない中性の粒子が必要となる。のちに中性子と名付けられる粒子の存在は、ここに予言されていた。

いずれにせよ、こうした原子転換説やウラン系列は自然のメカニズムの説明であり、このプロセスを人が加速したり、順番を変えたりできるわけではない。つまりこの時点では、元素は不変ではないが、人工的に変えたりはできないと思われていたのだ。これを変えたのが当のラザフォードだった。

ボーアのモデルが提唱されてから、ラザフォードは原子核の正体を知ろうとしていた。彼は一九一九年の論文で、α線を窒素やアルミニウムに衝突させると、正に帯電した水素の原子核（陽子）が放出されることを発表した。これが起きると原子量が変わるので、その元素は別の元素に転換する。つまり、元素は人の手で変化させることができるのである。ただ、この実験結果は、原子の構成要素はますます電子と陽子だけであるように思わせるものでもあった。

イレーヌ・キュリーとフレデリック・ジョリオは、このような、物質観の大きな転換期にカップルとなった科学者である。フレデリックがラジウム研究所の助手となった一九二五年に、実質第一次世界大戦中からそこにいたイレーヌは「ポロニウムからのα線について」で国家理学博士号を取得した。二人は翌年結婚する。フレデリックが博士号を得たのは一九三〇年、テーマは「放射性元素の電気化学的研究」である。ジョリオ＝キュリー夫妻はこのころ、イレーヌのテーマにも出てくるα線の、ある奇妙な現象に注目していた。

ドイツのワルター・ボーテ（一八九一―一九五七）とハーバート・ベッカーは、一九二八年から三〇年にかけて、ホウ素やベリリウムのような軽い物質にα線を照射する実験を行い、その物質から非常に透過性の強い放射線が出てくることを発見していた。どのくらい強いかというと、一〇センチの鉛を通過した後でも、その強度が変化しないというものである。ベッカーたちはこの放射線を、X線やγ線のような電磁波だと考えていた。ジョリオ＝キュリー夫妻はこの実験の追試に挑戦したのである。この実験には豊富なα線源が必要なのだが、彼らはそれまでのラジウム研究所での研究のおかげでポロニウムのα線源を十分所有していたから、すぐに実験にとりかかることができた。

夫妻はまず、電離箱という、放射能による気体の電離作用を利用した装置を使い、この不思議な放射線の強度を測ろうと考えた。ここで奇妙なことが起こる。装置の入り口にパラフィンなどの水素を含む遮蔽板を置いたところ、電流が増加したのである。問題の放射線以外の何かが生じている証拠だった。次に夫妻はこの放射線の写真を撮ろうとした。のちに湯浅年子がその正確で器用な腕前を称賛することになる実験家のフレデリックは、会ったことのない岳父ピエール・キュリー同様、実験装置を工夫する天才だった。彼はこの写真撮影のために、放射性物質からの放射線を目で見ることのできるものとして一九一二年に発明されたウィルソン霧箱を独自改良し、旧来の型より何十倍も長い放射線の飛跡を得ることができる装置を作り上げたのである。この時の美しい写真は夫妻を感動させた。

結果、夫妻はこの「ボーテとベッカーの放射線」が水素を含む物質に当たると、そこから陽子が放出されることを突き止めた。陽子は荷電粒子だから、その周囲の気体の電離効果が強くなって電流が増加したのだ。では、もともとのベリリウムからの放射線、つまり「ボーテとベッカーの放射線」の正体は何なのか。二人はボーテ同様、これは高エネルギーを持つγ線だと解釈した。ただ、この解釈には難点が一つあった。エネルギー保存則が正しいなら、夫妻の計算ではγ線の持つエネルギーが大きすぎたのである。

これに反論したのがラザフォードの弟子、ジェームズ・チャドウィック（一八九一―一九七四）だった。チャドウィックは、師が以前から主張していた、存在するはずだがまだ見つかっていない、電気的に中性の粒子こそがこの放射線の正体だと考えた。というのも、中性ならば周りの電荷に影響されずに、高い透過力を持つことが可能だからである。チャドウィックは、この放射線の質量は水素の原子核とほぼ同じであることを証明し、それに「中性子」と命名した。一九三二年のことである。こうして原子の構成要素がもう一種類発見されたのである。

ジョリオ＝キュリー夫妻は出し抜かれた形になった。実験は完璧だったけれど、結果の解釈が間違っていたのである。のちにフレデリックが湯浅をはじめとする弟子たちに、実験科学者の心構えとして何度も語ったセリフに「理論はいろいろ変わっても、正確な実験結果は残る」というものがある。もしかしたらこの時の失敗が念頭にあったのかもしれない。

ジョリオ＝キュリー夫妻は、「中性子」の発見者にはなりそこなったが、α線を軽い元素の原子核に当てる、という実験自体は続行した。そうして一九三三年、アルミニウムのような軽い元素の原子にα線を照射した時に、そこから中性子と陽電子――前年に宇宙線の観測実験で発見された正の電荷を持つ電子の反粒子――の両方が排出されることを観測した。何かが起きていた。夫妻はアルミニウムにぶつけるα線のエネルギーを徐々に弱くして行き、それがある一定の極小値になった時、中性子の放出は終わるのに、陽電子の方は、あたかも自然放射能からの放射線のように、減少しながら放射を続けていることを確認したのである。これは、α線の照射により、新しい放射性物質が生成され、それがひとりでに新たな放射線を出している証拠だった。この場合の生成物は放射性ホウ素である。自然界のホウ素は放射性ではないから、この元素は人工放射性元素なのだ。

こうして、二代目のキュリー夫妻は自分たちの手で放射性元素を作ったのである。この結果は一九三四年の論文で発表され、世界中に驚きを与えた。のちに湯浅が日本の図書館で読んで感動するのはこの論文である。これはマリー・キュリーの死の年でもあるのだが、マリーは娘夫婦の発見を知り、人工放射能の存在を知らせるガイガー・カウンターの音を聞きながら、抑えきれない喜びの表情を見せたという。フレデリックはこれを「キュリー夫人の生涯にとって最後の満足」と表現した。この発見は一九三五年度のノーベル化学賞に輝いた。そしてフレデリックはその受賞講演の中で、さらに世界を変えることになる現象を予言した。「連鎖反応」の可能性である。

第七章

「キュリー先生」と三人の日本人

ここでは、「キュリー先生」もしくはその弟子に師事した日本人科学者についてお話ししたいと思います。ピエールが死んでソルボンヌ大学の教員になった時、確かにマスコミは騒ぎましたが、まだマリーの名声は遠い日本にまでは及んでいませんでした。例外的に早い注目としては、文豪で医師だった森鷗外（一八六二―一九二二）が、一九〇九年から雑誌『スバル』に連載した「椋鳥通信《むくどり》」で、何度もマリーとその発見であるラジウムについて言及していることです。鷗外は樋口一葉（一八七二―一八九六）を高く評価し、与謝野晶子（一八七八―一九四二）を慶應義塾大学の文学部教授にと推薦した人物でもあります。晶子は「自分より夫の鉄幹を」と辞退したので、この時には慶應義塾大学女性教授第一号はかないませんでしたが、鷗外は早い時期から女性の社会進出に興味を持っていた、かなり珍しい日本人男性知識人でした。「椋鳥通信」では、欧米の婦人参政権運動の様子にもたびたび言及しています。

ただ一般には、科学者であると同時に指導者としてのマリー・キュリーの名声が不動のものとなったのは、やはり第一次世界大戦後のことです。ラジウム研究所は、近代日本の青年たちにとっても、留学先の一つになっていったのです。日本だけでなく、そこにはほかのアジアの国々からの留学生たちもいました。ただ、この時期のアジア人留学生は例外なく皆男性です。

山田延男と小野田忠

第六章の最初に名前だけ出てきたこの二人の日本人は、マリーの一番目と二番目の日本人弟子です。山田延男については『マリー・キュリーの挑戦』（トランスビュー、二〇一〇、改訂版二〇一六）という本で詳しく述べましたので、ここでは特に、「拝啓キュリー先生」から「お世話になりました、キュリー先生」の両方の手紙がきちんと残っている、小野田忠のことを中心にお話ししたいと思います。

日本人弟子第一号の山田延男は化学者で、留学当時は東京帝国大学附属航空研究所の助教授でした。東大でヘリウムの研究をしていた延男は、日本政府によって一九二三年にラジウム研究所に派遣されます。ラジウム研究所が選ばれた理由がはっきりしないのですが、ヘリウムの原子核が放射線のα線に当たるので、そのことが関係しているのかもしれませんし、ウラン鉱石にヘリウムが含まれていたからかもしれません。ラジウム研究所では、マリーからイレーヌとの共同研究を指示されて、イレーヌとの共著論文や自分だけの論文を書いて、多数の論文をフランスで出版しています。一九二六年に帰国して、フランスでの論文をまとめて東大の理学博士号を取得しました。ただ、残念なのは、フランスで扱ったポロニウムのせいなのか、あるいは帰国に際してマリーからもらい受けたポロニウム塩のせいなのか、帰国後すぐに体を壊し、今から見れば明らかな放射線障害の症状を呈して入院し、一九二七年に亡くなってしまったのです。死の直前に東京帝国大学教授に任命され、従六位を授けられました。

山田延男　ラジウム研究所で　1924 年
〈所蔵：Musée Curie（coll. ACJC）〉

病名も原因も不明で、治療法もわからず、医者がお手上げ状態だった時、延男は病床からイレーヌに手紙を出しています。それを読むと、パリでの研究は充実していたと書いてはいるものの、自分の病気が放射能のせいではないかと疑っていることがわかります。イレーヌが返事をしたかどうかはわかりません。山田側の資料の多くは、延男の「奇病」の感染を恐れた遺族によって廃棄されてしまい、残ったものも、そのほとんどは東京大空襲で燃えてしまったからです。パリのキュリー・アーカイヴに残っているのは、延男の死を知らせる日本側の手紙と、それを受けたマリーとイレーヌが、それぞれ延男の上司と妻にしたためた悔やみ状の写しといった資料だけです。

今から考えると、すでに何人かの弟子たちが、延男のような症状を呈して亡くなっていたはずなのですが、マリーもイレーヌも、放射能との関係はあまり追究していません。しかし遺族や関係者に対しては非常に丁寧に接しています。延男の場合も、当時の日本では誰も放射能の害のことなど知りませんでしたから、世界的な学者であるキュリー夫人が素早く、しかも真摯に応対してくれたので、日本側の関係者は皆感激していました。

ナンバースクールを出ていない秀才たち

さて、小野田忠というのは、延男の大学時代の後輩です。当時の学制を知っている人なら、多分この二人は一高や三高と呼ばれたナンバースクール出で、最初から東京帝国大学に行ったエリートだろうと思うかもしれませんが、そうではありません。延男は当時日本の植民地だった台湾で旧制中学までを過ごし、そこから支援者の援助で内地の東京高等工業学校（今の東京工業大学）に進学しています。延男はこの学校で、化学の教授だった片山正夫（一八七七―一九六一）に見込まれました。片山の東北帝国大教授赴任についていく形で、延男は東北帝大理学部の学生になるのです。ここでやっと帝国大学が出てきます。

じつは小野田忠の先生もこの片山教授でした。忠は福島県の出身で、最初は福島師範学校を出てから、福島の小学校教師をしたのち、東京高等師範学校に進学して、そこから東北帝国大学に入学したという学歴の持ち主です。忠はここで片山教授に出会ったのです。こうして延男と忠は片山門下の先輩と後輩になります。延男が大学を卒業して東北帝大の助教授になってしばらくして、片山は東京帝国大学教授に任命されます。片山はこの時、優秀な弟子だった延男と忠を東京に連れて行きます。山田は航空研究所の助教授として、忠は東北帝大の学生のまま東大で卒論の研究をさせる、という名目で。

こうして忠は東京の人となります。東大で研究をまとめた卒論で東北大を卒業してからは、そのまま東京に住み続け、やはり東大の経済学部と法学部に学士入学しながら、同時に片山の研究室で理学博士号取得のための研究をし、さらには古巣の東京高等師範学校で化学の非常勤講師としても働きます。こうして一九二六年にめでたく東京帝国大学の理学博士号を取得するのです。この時延男はフランス留学から帰国していました。

忠はきっと、延男からラジウム研究所の話を聞いて興味を持ったのでしょう。原因不明の病気で苦しんではいましたが、延男はラジウム研究所を高く評価していたのです。だからこそ友人の忠にそこに行くことを勧めたのでしょう。忠は延男から英語の名刺をもらい、最初の留学地ドイツから、その名刺を添えた手紙をマリーに書くのです。一九二七年七月付のその手紙は、「拝啓キュリー先生」から始まります。

拝啓キュリー先生

私は政府からヨーロッパに派遣されている者です。すでに一年近く、ベルリン大学のボーデンシュタイン教授のもとで働いております。日本人で、昨年貴研究室に所属していた山田博士の友人です。［……］貴研究室で研究させていただければ、大変光栄に存じます。

（Archives du Musée Curie, AIR LC.MC 1311）

忠のドイツでの師マックス・ボーデンシュタイン（一八七一―一九四二）は、かつての片山の共同研究者です。ですからこちらは、多分片山の紹介でしょう。忠は留学一年目のベルリンでは毒ガスであるホスゲンの研究をしていました。二年目はパリで過ごしたいと思ったのでしょう。ラジウム研究所で何を学びたいのか、というマリーの秘書ラゼ夫人の問い合わせに対して、「東京とベルリンでは物理化学を学びました。ですから貴研究室では物理学者として研究いたしたく存じます。現在特段のテーマは持っておりません。先生に実験テーマを与えていただければ幸いです」と書いています。忠の名刺には、日本政府の派遣留学生である旨が記してありました。初めにも述べた、マリーの研究者受け入れ方針がきれいにそろっています。確かな人物の紹介、確実な給費、ラジウム研究所の研究との合致。おまけにマリーは延男を大変評価していました。ラゼ夫人は忠に「キュリー夫人はあなたが山田博士の友人であると知って非常に喜んでおられます。というのも、夫人は山田博士に大変よい印象を抱いておられるからです」（Archives du Musée Curie, AIR

LC.MC 1316）と書いているからです。忠の受け入れは即座に認められました。

延男はイレーヌと研究しましたが、忠はマリーから、のちにイレーヌの夫となる、当時マリーの実験助手だったフレデリック・ジョリオとの共同実験を指示されます。そしてこの一年の滞在中に、延男同様、やはりポロニウムに関して、共著論文と単著論文を一つずつフランスの雑誌に載せています。忠は二年目と三年目の間の一時帰国の直前に、再び旅行先のドイツからマリーにお礼状を書いています。「拝啓キュリー先生」本当にお世話になりました、と。帰国後にもラジウム研究室のメンバーたちに「同胞の中に帰ってきてほっとした気分でいます。それでも、パリで過ごした素晴らしい日々を懐かしく思い出すのです。あの日々を忘れることは決してないでしょう」（Archives du Musée Curie, AIR LC.MC 1444）と手紙を出しています。ラジウム研究所もパリの生活も、とても楽しかったのでしょう。というのも、忠が学生気分で、気楽な生活を送るのはこれが最後だったからです。

科学者と実業家の指導者として

先に「確実な給費」と書きましたが、山田延男の給費と小野田忠のそれとはまったく違っています。延男は政府丸抱えの留学ですが、忠は身分だけは文部省の在外研究員ですが、費用そのものはすべて私費なのです。しかも、延男よりもはるかに潤沢な資金を持っていました。それでは小野田の実家が大金持ちだったのでしょうか。そうではありません。じつは東京に来てからの忠は、当時大実業家だった十文字大元（一八六八―一九二四）という人の書生となり、上京一年後に大元の長女なかと結婚していました。留学が決まる前に、すでに子どもが二人生まれています。そして十文字大元は当時金門商会という会社を経営していました。ここは日本で初めてガスメーターや水道メーターを製造販売した会社、つまり科学技術と関係する企業です。忠は留学以前からここの経営にかかわっていたのです。

志半ば、三一歳の若さで亡くなったとはいえ、延男のキャリアはアカデミックキャリア、つまり純粋研究者のそれですが、忠はむしろ岳父の会社とかかわる技術者としてのキャリアを目指していました。基礎研究としてホスゲンとポロニウムを学びはしましたが、再渡欧したのちの留学三年目には、ボーデンシュタインとキュリーのコネを最大限に生かして、ドイツ、イギリス、フランスの工場見学および研修を行いました。しかもドイツで最先端の工作機械を購入しての帰国です。忠が相当の資金を持って留学したことがよくわかります。

そしてキュリー先生は、この、異なる将来を目指していた二人の日本人弟子それぞれに対して――放射能の危険性に対する注意喚起を別とすれば――非常に的確な指導をしていました。それがパリで発表した二人の論文によく表れています。延男は忠の倍の期間ラジウム研にいましたから、延男の論文数が忠より多いのは当たり前ですが、それだけではありません。掲載誌が同じではないのです。

延男も忠も直接の指導者というか、先輩として実験の面倒をみていたのは、イレーヌとフレデリックですから、マリーはまずはこの二人と一緒に行った実験で彼らに共著論文を書かせますが、ちゃんと単著論文も書かせています。多分、日本に帰ってから「自分一人でしたこともある」ことの証明書を、延男と忠に持たせたいと思ったのでしょう。ここまでは二人の条件は同じです。しかし忠の二論文（片方はフレデリックとの共著）はどちらも、マリーの息のかかった学会誌『ジュルナル・ド・フィジック・エ・ル・ラジウム』だけに載せているのに対し、延男の方はそれに加えて、フランスで最も権威のある科学雑誌、パリ科学アカデミーの機関誌『コント・ランデュ』にも載せているのです。こうした区別が日本人留学生にできたとは思えませんから、これは明らかにマリーの指示です。

じっさい、延男はこれらをつなげて東京帝国大学の博士論文にしました。初めてこのことを知った時、いくら病気だったとはいえ、そのまま出すのはちょっと手抜きだなと私は思ったのですが、科学史研究者であるフランス人の友人が「科学アカデミーの雑誌に載った論文なのだから、そのまま提出しても何の問題もない。むしろ日本で評価されただろう」と言ったのです。本当に東大の理学部がどう思ったかはわかりませんが、フランスではそれだけの権威があったのです。ですから、わかる人にはその価値は明白です。マリーは山田の将来を考えて、彼にはアカデミックキャリア用の課題を課し、科学アカデミーが認めるような結果を出させたのです。そして忠には、工場見学のために、自分のコネや名声を使うことを許しました。

弟子たちの多くが、キュリー先生の研究室では、研究者の数が多かろうが少なかろうが、先生は皆の研究を把握しており、どんなに忙しい時でも弟子たちに実験の結果を聞き、的確な忠告を与えていたといった趣旨のことを書き残しています。私は延男と忠に対するこの異なる指導を知ってから、弟子たちのこうした証言は、決しておせじではなかったのだと改めて思いました。

さて、実業家になるための特別な三年目をヨーロッパ各地で過ごして、一九二九年に最終的に帰国した忠は、金門金属工業所という会社を興しました。ドイツで購入したダイカストマシンを使って、日本の鋳造工業の発展に大きな貢献をします。というのも、この技術のおかげで、輸入に頼らずに高性能の機械部品を国内生産できるようになったからです。ダイカストのほかにも、忠はたくさんの特許を取得し、第二次世界大戦を生き延びてさらに会社を発展させます。一九八一年には、故郷である福島県双葉町の名誉町民にもなっていますし、勲章や感謝状のたぐいはかぞえきれません。企業家という、マリーの弟子としては異例のキャリアですが、西洋に追いつけ追い越せを目指していた近代日本が、国民の欧州留学に期待したものをみごとに体現したキャリアです。忠はほとんど最後まで現役で、八八歳の天寿を全うしました。

フランスの先生、フランスの先輩たち、姑、妻という女性教育者・研究者に囲まれて

ただ、せっかく女性研究者、しかも地位の高い女性が多かったラジウム研究所にいたのに、この二人の日本人男性の帰国後の歩みは、女性科学者や女性技術者とは関係しなかったので、その点私などはもったいなかったな、と思ったりしてしまいます。延男はなんといっても若くして亡くなってしまったので、本当に残念です。イレーヌを先輩として共同研究し、マリーを師に持ち、さらにカトリーヌ・シャミエから技術指導を受けた延男なら、「女性は科学に向かない」などという当時の一般的偏見など意に介さなかったでしょう。じつに延男は女性を師とした最初の日本人科学者です。彼なら女性研究者をきちんと指導できる「先生」になれたと思います。共同研究者こそ男性のフレデリックでしたが、忠もまた女性を科学の師とした珍しい日本人でした。のちに忠の進んだ分野は、工場の女性工員は別として、専門家としては当時あまりにも女性が少ないところでしたから、ジェンダー面でのフランスの経験が生かせることはあまりなかったと思います。

　ところが、私生活はその限りではありませんでした。忠は妻とその一族、という面では、延男以上に日本女性の知性の力を思い知る環境にはあったのです。十文字大元は忠の岳父でありパトロンでしたが、留学前の一九二四年に亡くなりました。しかし十文字家にはその妻の十文字こと（一八七〇―一九五五）がいました。一時帰国の際に、工作機械の買い付けに関して忠が相談した相手は、姑のことでした。この人はじつは東京女子高等師範学校第三回卒業生という、当時の日本では大変な学歴エリート女性でした。しかも忠がことの娘と結婚したころには、文華高等女学校という女学校（今の十文字学園女子大学）を経営していて、そこの校長として、自分でものを考えられる精神と、鍛錬された強い肉体を持つ女性を育成する新しい女子教育を推進していたのです。ことの長女で忠の妻なかもまた、東京女子高等師範学校で理科を学び、母の学校の化学教師をしていました。

結婚当時の小野田忠と妻なか　1922年ごろ
〈提供：故小野田博氏〉

　さらにいえば、忠の母校東北帝国大学は、日本で最初に女子の入学を許可した帝国大学で、そこを出た女性科学者として有名な黒田チカ（一八八四―一九六八）は、忠の大学の先輩でした。加えて黒田は、東京女子高等師範学校時代の十文字なかの先生、つまり忠の妻の恩師でもあり、小野田家とは親しい付き合いがありました。ということは、小野田忠はヨーロッパに行く前に、すでに優秀な女性科学者や理科専攻の女学生、女学校の女校長という存在に親しく接していた、珍しい日本人男性だったのです。忠の会社の技術者は全員男性だったでしょうが、彼自身は女子教育を重視した人でした。じっさい、自分の子どもたちについては、女の子にも男の子と同様の教育を与え、子どもたちの可能性を狭めるようなことはしませんでした。

じつは、妻とその一族の支援、という面から考えると、小野田忠と山田延男は類似の関係にあるのです。小野田家は特にそうですが、忠少年の才能にふさわしい学問を与えるだけの資産を持っていませんでした。延男の場合も、東京高等工業学校以降の学費を出したのは沢全雄という実業家です。延男はこの人の姪と結婚しています。つまりこの二人の男性はどちらも、学資支援者の血縁の娘と結婚しているのです。姓こそ山田、小野田のままでしたが、ちょっとマスオさん的立場にあります。しかも『サザエさん』と違うのは、独身の学生時代から未来の妻の実家や親族の支援を受けていることです。

一応の四民平等が達成され、基本は男子だけですが、生まれによらずその才能が生かせて、居住地も自由に選べるようになった明治時代に生まれた少年たちは、江戸時代にはかなわなかった、身分を超えた立身出世を目指すことができるようになりました。そして、山田家だけがかつての士農工商の農の出身なのですが、残りの家、つまり小野田家も、十文字家も、山田の妻の実家の小野家も、あるいはパトロンの沢家も、全部明治維新の賊軍の武家の末裔でした。彼らの先祖が徳川幕府に味方したことで、明治維新後は割を食った人たちです。だからこそ、身内以外の学業優秀な青年男子を支援し、彼らに世に出る機会を与えるとともに、彼らを親族に加えて、自分たち一族のお家再興も果たしたいという願いがあったのです。

ところで、忠の義母の十文字ことは、この、「基本は男子だけ」の立身出世慣習を大きく破った存在でもあります。ことは、かつての天領であった京都府の農家である高畑家の出身ですが、女学校の先生にその才能を見込まれ、家族を説得して当時の女子としては最高学府である、できたての東京女子高等師範学校に進学しました。卒業後に九州や京都で教員をしますが、十文字大元との結婚後、一時期教職から遠ざかり、大元の会社経営を手伝いました。その後大元の出資で知人と一緒に女学校を設立し、校長になります。なんと一九二九年から三〇年には、数か月にわたる欧米の教育視察にも出かけているのです。大元もアメリカ留学をしていますから、忠は、自分自身の理由で（親や配偶者の赴任に同行した、とかでなく）海外生活を経験した義父母を持ったことになります。十文字ことは戦後に、今までの教育実績を評価され、藍綬褒章を受けています。まさに女の立身出世を達成した明治婦人です。

ちなみに、次女エーヴの書いた『キュリー夫人伝』の和訳が日本で大ベストセラーになったのは、日本では「女の立志伝」つまり立身出世物語がほとんどなかったので、この本がその穴を補ったのだろうということを、翻訳者の一人河盛好蔵が述べています。十文字ことは、すでにその前に立身出世していたのですから、そういう女性を身近に持ったという意味でも、小野田忠は興味深い「キュリー先生」の弟子だと思います。

湯浅年子――日本が誇る「キュリー先生」の女孫弟子

さて、最後に紹介する日本人は、ラジウム研究所の女性たちの思い出などで、もう何度もこの本に登場している、日本初の女性物理学者、湯浅年子です。年子がパリにやってきたのは一九四〇年ですから、マリーはすでに故人です。一九〇九年生まれの年子にとって、マリーは若い祖母くらいの世代です。この時にはエーヴの伝記の和訳も出ており、日本でもキュリー夫人は有名でした。確かにこの伝記が世界におけるマリー・キュリーの名声を高めたのは事実ですが、先に見たようにアメリカでは一九一〇年代に、日本でも伝記が出る前に、キュリー夫人はすでに大物でした。というのも、一九三八年の和訳初版のあとがきに「全世界の小学児童にまでその名を知られているキュリー夫人」と書いてあるからです。ただ、年子がキュリー夫人をはっきり意識したのは、自分が学校の先生になってからでした。

山田延男や小野田忠も、ナンバースクールから帝国大学、という当時一番のエリート街道には乗っていないので、その点で苦労してはいるのですが、年子はそれどころではありませんでした。まず、当時の日本では女子はナンバースクールに入れません。もし大学生になりたかったら、その前に女子高等師範学校などの高等教育機関を卒業しないといけません。それでも当時女子が入学できた帝国大学は東北だけです。一九三〇年になってやっと北海道帝大も女子入学を認めました。ところが女の子の場合、ここで生まれが邪魔します。

東京のお嬢様だった年子は、「下宿」などさせてもらえませんでした。この時代の良家の令嬢が学業で故郷を離れる場合、ありえるのは「親戚や知人の家に身を寄せて通学する」という手でした。女子寮があっても、近くに親族か知人がいなければ、そこに入れることを許可する「良家」の親はほとんどいません。しかし年子には、東北や北海道に親戚などいません。ちょうど日本のセーヴルに当たるような東京女子高等師範学校の理科を卒業したのち、東北に未練を残しつつ、母の頼みで最近女子の入学を認めた、しかも自宅から通える東京文理科大学（今の筑波大学）物理学科に入学します。一九三一年のことでした。これが日本で最初の物理学専攻女子大学生です。

おかしな「共学」生活

ところがここは、とんでもない「共学」だったのです。イジメではないのですが、男子学生に「遠巻き」にされてしまいました。彼らには「同級生の女子」という概念がなかったので、年子とどう向き合っていいのかわからなかったのです。毎日通学しているのに、誰とも口を利かない日が続きます。自分は声が出なくなったかもしれない、と独り言を言ってみるほどの状況でした。先生たちも、物理の女子学生の扱い方がわかりません。質問をすれば、その内容よりも「女子が質問した」ということでびっくりされ、議論などできる状況にありません。ほとんどパンダ扱いと言っていいでしょう。さらに、当時男子学生が髪に塗っていたポマードという整髪剤のにおいが、窓を閉めた教室に充満し、気が遠くなりそうです。本人も回想しているように「まったく不十分な」共学でした。

マリーのソルボンヌ大学時代も、ちゃんとした「共学」とは言えない状況だったでしょうが、マリーには故郷の友達がいました。ポーランドの留学生の間では、男女の区別なく気

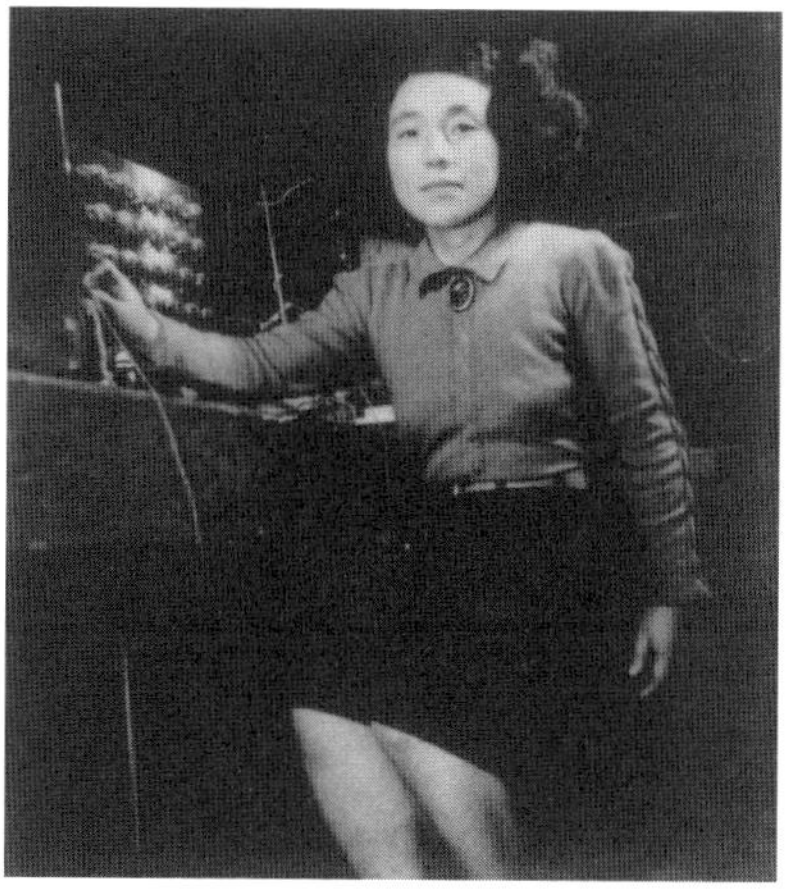

湯浅年子　1946 年
〈所蔵：お茶の水女子大学〉

軽に話ができます。しかも最初に述べたように、女子学生の数では、フランス人よりポーランド人の方が多いくらいです。ですから一八九〇年代のマリーより、一九三〇年代の年子の方が、ジェンダー的にはおかしな大学生活を送ったと思います。この経験はのちの年子に、戦後の日本において共学とはいかにあるべきか、ということを考えさせる機会になりました。

ともあれ科学者を目指した年子は、文理科大学を卒業した時に「望む研究所で思う存分研究のできないこと」に気づきます。理由は、学閥や学内の人間関係、女性差別などさまざまでした。それでも彼女は当時の女性としては恵まれていました。卒業してすぐに文理大の副手になって、それから東京女子大の助教授になり、一九三八年から母校東京女子高等師範の助教授というキャリアをたどったからです。ただし、これは教職として恵まれているのであって、「研究」となると問題がありました。なぜなら東京女子高等師範学校はセーヴルと同じ教員養成の学校なので、セーヴルでのマリーがそうだったように、まともな実験室がなかったからです。実験するなら他所でやらせてもらう必要があります。ところがそこには先の学閥や性別などの諸問題が渦巻いていています。

こんな環境で科学者としてどう生きるべきか悩んでいた一九三八年、年子はマリーの二人の弟子であるイレーヌとフレデリック、つまりジョリオ＝キュリー夫妻の書いた人工放射能についての論文に出会います。三年前にノーベル化学賞に輝いた業績です。それはまさに天啓でした。年子は「パリのラジウム研究所に行く!」と心に決めたのです。フランス語の猛勉強の末、一年後にフランス政府給費留学生試験に合格します。なんと日本女性初の理科系の給費生でした。

男子留学生と女子留学生の「差」が物語るもの

さて、ここで年子と先の二人の日本人男子留学生とに大きな違いがあるのがわかりますか。まずお金の出どころです。山田延男も小野田忠も、政府か十文字家かの違いはありますが、日本のお金で留学しています。そして私費とはいえ、忠の場合も身分保障は日本の文部省です。二つ目は、フランスという渡航先と放射能というテーマを選んだのは誰か、ということです。延男は政府ですし、小野田も、パリに行く前のドイツでのホスゲンと放射能のつながりのなさと、帰国してからのキャリアを考えると、本人ではなさそうです。忠はマリーに対して、研究課題は先生にお任せすると言っているので、先行しているのは「キュリー夫人」あるいは「ラジウム研究所」の名声であり、放射能という研究主題そのものではないと思います。特に留学前に研究者というキャリアが確定していたはずの延男の場合、パリに行くまでに英語の論文しか書いていませんし、その時点で着目しているのはアメリカの研究です。延男は留学の最後に、アメリカ経由で帰国し、そこで研究上の視察を行っています。こうした旅程を考えると、結果的にはラジウム研究所を気に入ったとしても、日本にいた時に延男が本当に留学したかったのはアメリカだったのかもしれません。

延男たちと年子はこの「留学先の決定者と留学資金」という点が完全に異なっています。年子は日本で原子分子分光学を学んでおり、もともとの主題がこの二人より放射能や原子核に近いですし、留学前にフランス語の論文も書いていました。しかもイレーヌたちの論文を読んで決めた、ということは、フランス留学は年子一人の選択であり、誰かに命令されたり推薦されたりしたわけではありません。そして給費がフランスだというところにもポイントがあります。

明治以来、近代日本は男子教育だけでなく、女子教育も推進して来ました。東京女子高等師範学校を男子の東京高等師範学校のすぐあとに作ったのも、こうした政策の表れです。じっさい、フランスなどでは女子の高等師範設立は男子のそれより一〇〇年近く遅れているのです。しかしどちらの政府も、男女に同一の教育を、とは考えていませんでした。ですから、日本でも女子の国費留学も存在はしていましたが、多くの場合、その主題が「女らしい」分野に限られていました。つまり、語学、コミュニケーション、保健、家政、看護、産婦人科学、音楽などといった分野です。

たとえば明治の女子留学生で最も有名な津田梅子の場合、一度目は「アメリカの家庭生活を理解するため」であり、二度目は「英語教育法の習得」です。ところが後者では、じっさいには例のセブンシスターズの一つブリンマー女子大学で、のちにノーベル医学・生理学賞を取るトーマス・モーガン（一八六六―一九四五）と基礎生物学研究をした時期が一番長かったので、看板に偽りありです。けれども建前は必要でした。ほかにも、小野田のところで出てきた生物学者の黒田チカは「家事に関する理学の研究」という名目で国費留学しています。しかし物理学者の年子がこういう「建前」を「作文」するには無理があります。その点フランス政府の給費なら、試験に受かればいいのです。年子は建前とか体裁といったことが大嫌いでしたから、へんな言い訳を考えるくらいなら、勉強する方がよほど気楽だったでしょう。

じっさい、黒田チカもそうですが、湯浅の恩師だった生物学者で、日本初の女性理学博士保井コノ（一八八〇―一九七一）も、留学に際しての書類に「家事研究」といった項目を入れざるを得ませんでした。

このような「慣習」に憤慨し、後年後輩科学者の香川ミチ子が「遺伝学や天然色素の秀れた研究者に対する、これほどのひどい侮辱がほかにあろうか」と述べています。こうしたジェンダーバイアスのかかった書類は、留学する女性本人だけでなく、後輩女性たちの心をも傷つけるものでもあることが、香川の証言からもよくわかります。湯浅の留学選抜はその点、成績だけの話ですから、本人にも後輩にも安心できるものでした。

かくして年子は「マリー・キュリー先生」ならぬ「イレーヌ・ジョリオ＝キュリー先生」の弟子になる予定でした。ところがここで問題が起きます。かつてラジウム研究所が、第一次世界大戦の時にフランス人で固められたのと同じようなことが起きていたのです。いえ、今度はもっと厳格でした。湯浅がパリに到着したのは一九四〇年三月。第二次世界大戦中のこの時期には、外国人の登録が軍によって禁止されたのです。「フランス政府の給費生」にラジウム研の門を閉ざさねばならない、というのはイレーヌにとっても不本意な話でした。しかし規則には逆らえません。ここでイレーヌは、やはり放射能の専門家である夫の研究室なら、この日本女性の受け入れが可能かもしれない、と思いつき、年子にその旨を伝えます。年子は年子で、フレデリックの師であったポール・ランジュヴァンに頼み込み、紆余曲折の末に、「フレデリック・ジョリオ＝キュリー先生」の弟子になることに成功します。いずれにしても「キュリー先生」の孫弟子になったのです。ただし、場所はラジウム研究所ではなく、その近くにあるコレージュ・ド・フランスの原子核化学研究所でした。

コレージュ・ド・フランスに属して

ここで多分、フランス留学の先輩に当たる山田延男と小野田忠の存在も、年子の受け入れに一役買ったのだと思います。イレーヌもフレデリックもこの二人をよく知っていましたし、彼らを評価していました。特にフレデリックは日本人に良い印象を持っていました。加えて彼はラジウム研究所でマリーの助手として訓練を積んだ男性科学者、つまり女性が多い環境で仕事をしてきた男です。女性研究者にいかなる偏見も持ってはいません。戦争中のこの時には、たまたま女性の弟子は年子だけでしたが、その国籍はさまざまです。その点では、フランス人で固められてしまったラジウム研究所より、フレデリックの研究室の方が、よりマリーの遺志を継いだ形になっていました。「世界平和は人と人とのつながりから始まる」というフレデリックの方針で、年子は当時日本と対立していたアメリカや中国からの留学生と共同研究するよう指示されます。なにせ戦争中ですから、平時のようにはいきません。一九四一年の日本の参戦後、年子ははっきり敵国の人間になってしまいます。日本はフランスの宿敵ドイツと同盟を結んでいたからです。しかし、国際色豊かだったラジウム研究所で訓練を受けたフレデリックは、そんなことは気にしません。ジョリオ先生は、年子の国籍ではなく、年子の研究や人柄だけを見てくれたのです。師がこうですから、当然研究所の雰囲気もそうなります。パリがドイツに占領された後は、半ば強制された形でドイツ人研究者の受け入れも始まりますが、そのドイツ人たちに真摯に接するフレデリックを見た年子は、そこに科学者としての理想を見出します。年子はこの研究所を「女性であることも、異国人であることも捨象されて、ここでは研究だけが生き物のように成長して行く」（湯浅年子『パリ随想3』一九八〇、二四三頁）場所と表現しています。

フランス国家理学博士号を目指して

年子は何としてでもフランスで成果を出してみせると決意して、博士論文を書き上げます。一九四三年六月、β線に関する年子の研究は審査委員から優秀と評価され、フレデリックにも称賛されました。もしかしてキュリー夫人以来初めての外国人女性の国家理学博士号ではないか、と言ってくれる同僚もいました。

ここでも延男や忠との違いが現れます。なるほど彼らはフランスで論文を書きはしましたが、博士号を取ろうとはしませんでした。延男はパリのフランス語の論文をそのまま東京帝国大学の博士号取得に使います。忠は留学以前に東大の博士号を取得しています。フランスでの国家理学博士号のための研究、というのは戦争中に外国人である年子の受け入れに際しての、フレデリックに課されたフランス政府側の条件ではありましたが、それを忠実に守り、優秀な成績で博士号を取得したのは年子の力です。つまり、延男や忠は、フランスが好きではあったでしょうが、あくまでも彼らが見ていたのは日本です。年子の場合には、もっとフランス寄りの姿勢が目立ちます。そしてこれは、年子や延男たちの個性と

フレデリック・ジョリオが撮影した着物姿の湯浅年子とイレーヌ・キュリー
1941年
〈所蔵：お茶の水女子大学〉

いうより、当時の日本の女子留学生と男子留学生の違いでもあったのです。

あとで述べる篤志家、薩摩治郎八（一九〇一―一九七六）の伝記を書いた村上紀史郎という人が、『「バロン・サツマ」と呼ばれた男』の中で薩摩が世話したフランス留学の日本人について面白いことを書いています。村上は、戦況が悪化してゆくこの時期の調査をしてゆく中で、日本女性の方が男性よりも留学への決意が固いということに気が付きます。フランス女性と結婚している、などの特殊な事情がある場合は別として、大多数の日本人男子留学生は、日米開戦を受けてわれ先に帰国してゆき、女子留学生の方が残って頑張りたいと主張し、帰国を勧める日本の男性大使館員を困惑させたのです。博士号に関しても、年子と同時に留学した片岡美智（一九〇七―二〇一二）という女性はフランスにとどまり続け、戦後の一九五〇年に日本人女性初のフランス国家文学博士を取得しています。彼女は日本女性初の文学のフランス政府給費留学生でもあります。片岡と同時に留学した男子は全員、太平洋戦争の早い時期に帰国しています。そもそもこの時代の留学とは日本人にとってどういうものだったのでしょう。

当時の日本人男性は何のために留学したのでしょう。延男や忠を見るとよくわかります。それは日本で立身出世するため、そして外国で学んだ知識を祖国で生かすためです。エーヴによる『キュリー夫人伝』の和訳者たちが、マリーの意義を「純粋の学問的探求と祖国への奉仕と人類の福祉増進」（翻訳者の「後記」、E・キュリー、昭和一三年、六四五頁）の体現者であることと言っているのも、これが当時の日本の価値観だったからです。ですから男子留学生は、その知識が日本の役に立つなら、自分個人は出世しなくていいとは思っていませんし、自分が出世しさえすれば、祖国がどうなってもいいとも思いません。

こうした、近代日本の男性にとっての留学の意味を、ロマンの香り高く描いたのが森鷗外の『舞姫』です。主人公の豊太郎は、多分当時の日本人男性としては例外的に、留学先（ここではドイツ）になじんだ青年です。豊太郎は、日本の方ばかり見ている同郷の留学生に対して非常に懐疑的です。けれども、その豊太郎でさえ、男子の立身出世を当然と考える周囲の日本人の声を無視できません。彼はドイツ人の恋人を捨てて帰国してしまいます。日本の友人たちは皆、そんなことは当然だと思い、豊太郎の苦悩を理解しません。なぜなら外国での「お勤め」を果たし、祖国での立身出世を実現することこそが、日本男子の務めだったからです。

日本人女子留学生はなぜ「純粋」だったのか

女子留学生は違うのです。留学前の年子の悩みからもわかるように、帰国後のキャリアが男子ほどはっきりと約束されてはいません。しかも仮に出世しても、周囲が手放しで喜ぶかというとそうでもありません。妬まれたり遠巻きにされたりする確率は、男子よりはるかに高いでしょう。こうして、留学に世俗的なメリットが少ない結果、女子の方が留学に対して「純粋」になります。つまり年子のように「行きたい国」へ「やりたいことをしに」行くようになります。もちろん、数としては男子留学生の方が圧倒的に多いので、「純粋」な日本人男子留学生の絶対数は、「純粋」な日本人女子より多かったでしょうが、割合としては「純粋」な日本女子の割合の方が高かったと思います。

つまり、こうした「純粋さ」、村上に言わせれば「決意の固さ」は、男女の本質的差異ではありません。日本女性だって、帰国してからの立身出世が約束され、それが良いことだと社会が見なせば（平たく言うと、留学経験者の日本女性がモテて、留学という経験が結婚や就職に有利に働き、お金もたくさん稼げて、みんなにうらやまれる生活を送る確率が高いなら）、男性同様、外国にいても日本を向いて生活するでしょう。政府が帰国を勧めれば、男子と一緒にそそくさとその命令に服従するでしょう。これはジェンダー、つまり社会的文化的な性イメージの問題で、女性の方が生まれつき純粋なわけでもなんでもありません。お嬢様として生まれ、アインシュタインを尊敬する父に愛され、一度も生活の心配を経験せず、かつ母国での出世がその実力ほどには見込まれない、という年子の社会的条件が、彼女を「純粋」にし、「キュリー先生」の科学的精神の伝統に感動するような人間に育てたのです。

やはり森鷗外が別の作品で、留学の意味について面白いことを書いています。それは『なのりそ』という戯曲で、洋行経験のある父を持つ耿子《てるこ》という知的なヒロインが登場します。耿子は「只今の外国の様子を見てお帰りになって日本社会に対して不平のおありなさらないような方なら、それはつまらない方」だと断言します。そして、この「不平」とは、単なる不満ではなく「神聖な不平」「持っている人は永遠に持っている不平」だと言うのです。これを言われた相手は、父が娘の結婚相手にと考えている、広前という法学者です。そして、母国での「立身出世」のためだけに留学した広前には、耿子が何を言っているのかまったく理解できません。この、どこまでも行っても平行線の二つの心は、まるで当時の留学が男女に対して持っていた意味の違いを表現しているかのようです。

年子は確かに、耿子の言う「不満」を持っている人間でした。鷗外が年子を見たら「自分のヒロインみたいだ」と思ったでしょうか。少なくとも、留学先の文化の根幹を理解しようとしたその姿勢には、自分にとってのドイツと重ね合わせての共感を持ったと思います。少数派ではありましたが、こういう視点を持つ日本人男性もいたのです。年子は鷗外には会えませんでしたが、もう一人の、とても珍しい「不平家」の日本人男性に出会いました。それが先に少しだけ言及した、篤志家で、パリの国際学生都市にある日本館という寮の設立者である薩摩治郎八という人物です。

薩摩はこの時期、フランスにとどまる気概ある日本女性湯浅年子に敬意を表して、当時滞在していた自由地区のニースから、籠いっぱいの花やミカンを送りました。薩摩はフランス人の妻がいるわけでもないのに、戦争中に最後までフランスにとどまった数少ない日本人男性です。そしてこの、薩摩と日本人女子学生の感性は似ているのです。

薩摩は日本男子ではありましたが、立身出世とは関係ない人物でした。東京生まれの大富豪の御曹司であり、金銭のために働くことを期待されずに育ちました。事実、生まれてからこのころまで、ただの一度も労働してお金を稼いだことがありません。消費を芸術にまで高めた、とまで言われた貴族的な生活をした薩摩は、芸術を愛し、パリを愛し、「自分の好み」だけで生活し、日仏の文化交流に父祖の築いた財を惜しみなく注いでいました。これでは普通の日本人男性とは話が合いません。パリにまで来て、日本の方を向いている同胞など、薩摩にとっては馬鹿馬鹿しい限りです。むしろ彼は、自分と同じようにフランスを愛していた年子たち女子留学生の方に親近感を抱いたのです。食料品が不足していた時に「パンと肉」ではなく、「花とミカン」を送ったのも、この「フランス愛」の表現です。やはりフランス文化を愛していた年子は、この贈り物に狂喜し、ひととき戦争の重苦しさから解放されます。

敗戦の祖国で見たものは

そんな「純粋」な年子も、ドイツの敗戦がほぼ確実になり、ついに帰国を余儀なくされます。病気の母にもう一度会いたいという気持ちもありました。父が滞仏中に亡くなっていたので、その気持ちはひとしおでした。一九四四年の八月、最後に残っていた日本人とともに、大使館の誘導で、片岡らわずかな残留日本人を残してパリを去ります。途中廃墟になりつつあるベルリンで、少しだけ研究したりもしますが、やはり研究半ばで退去させられ、シベリア鉄道経由で当時日本の植民地だった満州にたどり着き、そこから船で本土を目指します。「自ら地獄に来た」と感じた焼け野原の東京・上野に立ったのは一九四五年の七月でした。ついに再会できた母は、もはや瀕死の状態で、終戦の直前に亡くなります。戦争が原子爆弾で終わったことは、放射能研究者の年子には大きな衝撃でした。彼女は心の中で師に問います、ジョリオ先生、この結果をどうお考えですか、と。

帰国後すぐに、年子は留学前の地位、つまり東京女子高等師範学校の助教授に復帰していました。戦後はこれと兼任で、研究を本格的に再開すべく、当時日本で最も先端的な研究機関であった理化学研究所の嘱託研究員にもなります。これは、はたから見るとめぐまれた再出発でした。

ところが、戦後すぐの日本での経験は、年子にとって非常につらいものでした。「不平」がさらに勝ってゆきます。物資の欠乏もそうですが、何よりつらいのは、自分の経験を共有してくれる人がいないことです。これはラジウム研究所を中心とした本なので、読者はそのようには感じられないでしょうが、じつは当時の日本の科学者の多くが留学したのは、フランスではなくドイツとイギリスでした。たとえば山田延男や小野田忠の師であった片山教授もドイツ留学経験者ですし、鷗外もドイツで医学を学びました。この時の留学生仲間に、ノーベル賞候補にもなった北里柴三郎（一八五三—一九三一）がいます。じっさい、忠もフランスに行く前はドイツでも研究していました。そちらの方が主流派なのです。ですから、日本の研究所の研究スタイルは、どちらかというとドイツ流、あるいはイギリス流で、年子が慣れ親しんだフランス流ではないのです。

このころ、年子が所属した理化学研究所では、仁科芳雄（一八九〇—一九五一）という日本を代表する核科学者が所長をしていました。この人もイギリスやドイツの留学経験を持ち、戦争中には日本の核開発の中心人物でもありました。本書の「はじめに」に出てくる、デンマークのボーアにも師事していました。ですから仁科は、ジョリオに学んだ年子を受け入れ、ジョリオの研究にも興味を持っていましたが、研究スタイルはフランス流ではありません。年子は研究所の細かい流儀で、いちいち違和感を抱かざるを得ません。

欲しいのはただ、魂の「自由」だけ

その上、一九四五年九月、アメリカ政府は日本におけるすべての原子力研究を中止するよう命令しました。そしてこれを忖度したＧＨＱが、戦争中に仁科たちが作った理化学研究所のサイクロトロン（電磁石を用いて、荷電粒子をらせん状に加速する装置。原子核の人工破壊、放射性同位体の製造などに利用できる）を東京湾に捨ててしまったのです。一九四五年一一月のことでした。そこまで命令したつもりのないアメリカ政府はこの廃棄を知って驚きますが、後の祭りです。年子はこの装置で研究を再開するはずでした。所長仁科には、これ以上の被害を食い止める責務があります。そのためには、当初の方針を曲げてでも応用研究を基礎研究に先行させ、進駐軍の懸念を払拭して研究所を救おうとしたのです。

ところがこの「方針を曲げる」というような態度が、「純粋」な年子にはがまんできません。年子にとって、仁科の「転向」は「変節」に近い科学への裏切りでした。加えて日本の女性差別が追い打ちをかけます。年子は、自分の主張をみんなが受け入れてくれないのは、その内容だけでなく自分の性も関係しているような気がしてなりません。日本国憲法は、ついに男女平等を認めたのではないのか、と言いたくなりますが、人の気持ちは急に変わるものではありません。マリー・キュリーの影響下にある二つの機関、アンドレ・ドビエルヌとイレーヌ・キュリーが率いるラジウム研究所と、フレデリック・ジョリオが率いるコレージュ・ド・フランスの研究所で、女性が本当に自由にものを言える経験を四年も味わった後では、日本のあらゆるところが「封建的」に見えました。

じつは理化学研究所は戦前から、日本では例外的に女性をまともに受け入れた研究所でした。そこで過ごした女性研究者たちの多くは、「あそこは自由で平等だった」という感想を残しています。ただ、年子が見てきたのは、それとは桁の違う自由と平等だったので、彼女たちに共感することもできません。じっさい、今の我々から見ると、給与の男女差を除いても、年子同様「これで平等?」と言いたくなります。たとえば有名な科学雑誌『自然』が一九六〇年代に出した理化学研究所を特集した雑誌の記事で、確かに女性たちはかつて自分たちが所属した研究所を褒めており、その発言も活発です。しかしそれは「女だけ」で集まった場に限られています。男性が入った対談になると、突然女性の声は小さくなります。

これは今でもテレビなどで時々で見かける光景です。有識者複数で対談する場合、一人だけ女性が入っていたとして、なぜかその女性がほとんど発言しない、あるいは発言するにしても、たいして重要でない主題に関してだけ話し、司会者もその女性にあまり意見を求めない、周りの男性もそのことをまったく気にしない、という場面です。きっと、皆さんも一度は見たことがあると思います。ところがこの同じ女性が、女性だけのシンポジウムなどでは活発に発言していたりします。こうした状況は「自由で平等」なのでしょうか。

もちろん戦前、あるいは戦中の日本では、発言どころか女は対談にすら呼んでもらえなかったでしょう。メンバーに入っているだけでもすごいことなのかもしれません。理化学研究所に来た多くの女性研究者は、それまで自分たちがいた性差別のひどいところに比べたら、そこは天国に思えたでしょう。しかし年子にとっては、理化学研究所が「女性の天国」には見えません。けれども、そんなことを口にしたら「贅沢」と言われてしまうでしょう。何につけても、年子は黙るしかないのです。

いまひとたびのパリを

だから年子はパリに手紙を書きました。「もう一度パリに行きたい」「ジョリオ先生のそばで研究をしたい」「水道もガスも食料も足りません」「招聘状を下さい」「物理ができない今の生活は無意味です」(Archives du Musée Curie, Bibliothèque Nationale de France, NAF 28161)。ジョリオにだけではありません。先の薩摩の親友で、パリの国際大学都市の設立者にして日仏協会理事だった親日家のアンドレ・オノラ（一八六八―

一九五〇）にも、元フランス政府給費生として、もう一度パリで科学研究を再開したい旨を書き送ります。オノラはこの手紙に心を打たれ、何としてでも彼女をパリに呼び戻したいと、年子の手書きの文章をわざわざタイプしてジョリオに送っています。

じつは長い間、戦後すぐに年子がフランスに書き送ったこれら多数の手紙の存在は知られていませんでした。ですから年子の周囲の人は、この時期の年子がそんなにストレスをため込んでいるとは思っていませんでした。どちらかというと、新生日本の女子教育や科学教育のために積極的に活動している、フランス帰りの有能な先生だと見られていました。日本では、年子の今後の活躍が期待されていたのです。年子のことを研究している人でも、彼女の死後に遺族から日記を読ませてもらった研究者だけが、この時期の年子の不満を知っていました。けれどもそういう研究者でさえ、年子は自分の悩みを日記だけに納め、外には愚痴を言わなかった人だと思っていました。しかしそうではなかったのです。

私はパリのキュリー・アーカイヴでこの手紙を見つけた時、やっぱり年子は誰かには苦しみを訴えていたのだとわかり、むしろほっとしました。要するに、日本には自分の気持ちに共感できる人がいないから黙っていただけだったのです。これは予想ですが、多分ジョリオやオノラといった大物だけでなく、向こうの親友などにも手紙を書いていたのではないかと思います。じっさい、これらの手紙からは、年子の耐えていた抑圧と、研究への激しい情熱が伝わってきます。年子は、自分の専門研究ができる設備のある研究室と、性差別のない研究環境を求めていました。その昔、ラジウム研究所を離れて故郷に帰り、あるいはさらなる異国の地を訪れ、そこで大きな女性差別や設備の不備に遭遇したマリーの女弟子たちも、きっと年子のような感情を抱いたことでしょう。

じっさい年子は、もうフランスがだめならアメリカでも、とシカゴ大学にまで手紙を書いているのです。そしてシカゴの原子核研究所は彼女の実力を認めました。年子に招聘状をよこしたのです。戦後すぐの物理的環境というなら、パリよりシカゴの方が上です。コラム6にあるように、シカゴは世界で最初に原子炉ができたところなのです。この時の年子はもう、何が何でも日本から出たかったのでしょう。シカゴの話を知ったあたりから、フランス側の動きも活発になります。そもそも年子はフランス給費留学生です。日本政府は彼女に一切お金を出していません。原子核物理学者湯浅年子を育てたのはフランスのお金と文化です。ここでこの優秀な科学者をアメリカにとられたら、フランスは馬鹿みたいではありませんか。フレデリック・ジョリオは「湯浅氏は、フランスに理解のある、進取の気質のある人物であり、わが国において、注目に値する仕事を成し遂げうる」（Archives du Musée Curie, Bibliothèque Nationale de France, NAF 28161）から、ぜひ年子を招聘したいと、フランス国立科学研究センター所長に訴えます。

ジョリオ先生の完璧な招聘状

マリーのアメリカ行きの時にも書きましたが、この時期のアメリカはすでに「フランスをナチスから解放してやった」と言える時代になっていました。つまりフランスの方に借りがあり、そのことでフランス人はアメリカに対して、ありがたいけれど悔しい気持ちを持っていました。しかも年子の専門はもともと、フランス人であるベクレルとキュリー夫妻が始めた分野なのです（こういう時にはフランス人の中では、マリーがポーランドの出身であることは消えてしまいます）。しかも人工放射能を発見したのもフランス人のジョリオ＝キュリー夫妻ですし、連鎖反応の予言をしたのは夫のフレデリックです。確かにアメリカは世界で最初に原子炉と原爆を作りましたが、それだって、この五人のフランス人あってこそ、だったのではないでしょうか。フランスは年子を逃がさないことに決めます。フレデリックの訴えは功を奏し、年子は、ポストも、生活費も、旅費も、宿舎も、すべて用意された状態で再渡仏の時を迎えます。

驚いたのは日本側です、もちろん年子のフランスびいきのことはみんな知っていましたが、彼女の日本での活躍が大いに期待されていたからです。ただしこの「活躍」は「研究」ではありません。日本はむしろ洋行帰りの年子を教育や学内行政、国際交流など、もっと広い意味で活用したかったのです。逆に言えば、女性の年子には、そこまで研究が期待されていなかったとも言えます。多分これこそが年子の一番の不満だったと思います。年子は「研究」したかったのです。まだフランス行きが、海のものとも山のものともわからなかったころ、年子はオノラやジョリオに「〔サイクロトロンが破壊されて実験ができないので〕日本女性の状況を改善したり、日本人にフランスの文化事情を知らせたり」（Archives du Musée Curie, Bibliothèque Nationale de France, NAF 28161）することに力を尽くしている旨を書いています。じっさい、そんな仕事ならいくらでもありましたが、やはりそれだけでは満足できませんでした。

フランスと日本の狭間で

この再渡仏は、数年で帰国ということになっていたので、東京女高師（一九四九年の年子渡仏後にお茶の水女子大学と改名）には休職届を出して渡仏しました。本人も当初はそういう気持ちでいたのだと思います。ところがフランスに行ってみると、いくらドイツに占領されていたとはいえ、焼け野原にならなかったパリの設備は日本とは比べ物になりません。細々とでも研究が続行されていたこともあり、日仏の研究環境の差は歴然としていました。年子はこの五年間の空白による自分の遅れにあせります。「戦争さえなければ」というのが、心の底からの悔しい感想でした。やがて日本の休職の期限が来ます。恩師や同僚からの「日本に帰ってきてほしい」という懇願に対して、年子の返事は煮え切りません。多分心の底では、もう本当の意味で帰国することはないだろう、とわかっていたのでしょうが、言葉になったものはあいまいでした。

ジョリオ教授も、今帰っても日本の男性の考え方をすっかり変えさせることが出来るわけでないし、また研究に好条件になっているとも思えないから、こちらで一心に研究して、一〇年以内には帰るようにしたら、日本のためにもその方がよいと思う、と言われます。

（山崎美和恵、二〇〇九、二五八―二五九頁）

これが一九五五年に書かれた恩師保井コノへの手紙です。再渡仏してから六年たっていました。あと一〇年というなら、再渡仏から一六年後に帰国して日本で研究者になるということになります。あまり現実的な計画ではありません。しかも、年子は「自分がそう思う」というのではなく「ジョリオ教授も」として、フレデリックの勧め、という形を取っています。かつてフレデリックに「どうしてももう一度パリで研究したい」と手紙を書いた時のような、明確な自己主張がここにはありません。断固たる性格の年子にしては、ずいぶん婉曲な言い回しをしています。多分これには二つの理由があるのだと思います。

一つは、年子を帰国させたい側の主張に「正義」があることです。それは公共の利益であり、年子の帰国が日本の科学界、教育界、特に女性科学者の待遇に及ぼす効果です。こうした「正義」に正面から逆らうのは難しいことです。もう一つは、婉曲表現を好む日本の慣習、特に女性にその傾向が強いことです。女性の強い自己主張は、とりわけ批判の対象になります。つまり日本では——特に女性は——「私はこう思う」と言うよりも、「偉い（男の）先生の見解はこうである」と訴える方が、結論は同じでも角が立ちませんし、向こうも反論しにくくなります。事実、これを機に保井の態度は変化します。

湯浅年子はなぜ帰国しなかったのか

ここで明白なことは、「日本の男性の考え方」と「日本の研究の条件」に年子がずっと不満を持っていたことです。日本に行ったことがないフレデリックにそんなことがわかるはずがありません。山田と小野田を知っているとはいえ、それをもって「日本人男性」とするほど、彼は浅はかではありません。これは年子の意見です。要するに女性差別と不十分な研究環境が確実な日本に戻るのがいやなのです。それと闘っていたら、研究する時間が無くなってしまいます。

この点で年子はジョリオよりもマリー・キュリーの伝統を受け継いでいます。もちろんマリーも激しい女性差別にさらされました。彼女は長い間「ピエールの弟子」と見なされ続け、何度も腹立たしい思いをし、そのたびに新聞などに抗議してきました。しかもマリーの場合は民族差別も半端ではありません。年子と違って被占領国の生まれだったので、その不自由さははかりしれません。それでもピエールと結婚した時に、マリーは政治的に行動することをやめました。その分の時間は研究に捧げ、研究成果を通して、女性であることやポーランド人であることが、いかなる能力の差にもつながらないことを世界に示す道を選びました。

マリーの親しい友だったイギリスの女性物理学者ハーサ・エアトンなどは、科学研究も女性参政権運動も活発に行っていたので、そういう生き方とは対照的です。思想的にはハーサに賛同していましたが、マリーは自分の時間配分を研究中心にしました。年子も同じです。女子大なのに、男性、それも東京帝国大学卒の男性教授ばかりが力を持っているお茶の水女子大学の状況がいいとは思っていません。日本の女子学生がもっとのびのびと学問に打ち込めるようになってほしいとは思っています。特に科学を目指す女性が少ないのは、社会の女性観のせいだと確信してもいました。

しかし、筋を通さないと気が済まない年子が、もし日本に帰って再び大学教員になれば、こうしたことに黙っていられないのは目に見えています。マスコミや女性団体も彼女を担ぎ出そうとするでしょう。しかもお嬢様育ちの年子には、礼を欠くことや下品で強引なふるまいはできません。こうなると研究時間は確実に削られます。年子には、それがどんなに大切なことであれ、この種の仕事が自分の天職だとは思えませんでした。帰国に対する迷いには、第二次世界大戦後は、研究者としてよりも、原子力の平和利用を世界に訴える共産主義の科学者としての政治的活動が主になってしまったフレデリックに対する複雑な思いも影響していたかもしれません。日本語で書かれたエッセイの中で、どんなに平和運動が重要であっても「こんなに現場を離れてから、先生は再び先端の科学研究に戻れるのか」と師に問いかけています。放射線障害が原因の肝臓病による一九五八年のジョリオの死で、この問いの答えは出せないままになりました。でも、多分年子にはわかっていました。それは「天才の先生でも無理だ」と。だからこそ年子は日本への帰国をためらっていました。

ただ、それでも外国に骨を埋める決心をするのは大変なことです。たとえばこの時期に、年子と同じ不満――女性差別と不十分な設備――を共有していたであろうもう一人の日本人女性科学者は、新生お茶の水女子大学に戻っています。それは生物学者で、一九五〇年からアメリカに留学していた阿武《あんの》喜美子（一九一〇―二〇〇九）です。阿武は予定の留学期間が終わると一九五三年に帰国します。彼女は日本で母校の発展に尽くし、十分とは言えない研究設備の中で研究を行い、同時にあまたの女弟子を育て上げました。保井は年子に、阿武のようになってほしかったのだと思います。アメリカで研究していた阿武が、日本の、それも大学院も存在しない女子大学の研究環境に満足していたはずがありません。それでも阿武は日本を選び、少しでもその状況を改善しようと努力し、女子学生と自分自身の研究の向上に努めました。のちに阿武はパリで年子に再会し、母校の将来について熱く語り合っています。そのあと年子が阿武に送った手紙を読んでいると、この二人の気質の違いと、留学先の国が彼女たちに与えたものの違いがはっきりわかります。

私は、研究が自分の最優先事項ならば、年子が帰国しなかったのは正しかったと思います。年子には阿武のような柔軟性がありませんし、フレデリックも認めている「フランスへの愛と敬意」には並々ならぬものがあります。年子のフランス文化への思い入れは全身全霊を込めたものであり、理性でアメリカの研究環境を評価している阿武のそれとは比較になりません。年子から日本の状況を聞いていたフレデリックも、女弟子のこんな個性を考慮したからこそ、一〇年などという非現実的な時間を提案したのかもしれません。

パリに生き、パリに死す

政府や社会がマイノリティを抑圧している時も、あるいはその力を大いに活用しようとしている時も、当のマイノリティが正面からこれに対抗したり誘いに乗ったりするのには、大変なエネルギーと相当のしたたかさが必要です。だいたい法律や制度などというものは、革命や戦争といった激動時以外は、成立させたり変更させたりするのに長い時間がかかります。そうした活動に向いてない人間が、「どうしてもやりたい」という理由ではなく、「正義だから」とか「みんなの役に立つから」といった理由でこれに首を突っ込むと、実りを得る前に、まず確実に疲れ果ててしまいます。

ここで私が「向く、向かない」というのは、「できる、できない」ということではありません。それをやって「楽しい」か、そのことが「好き」なのか、ということです。もし年子がピエール・キュリーやアインシュタインのように、誰が見ても得手不得手が明白な人間だったら、向かないことの仲間にすると、かえって足手まといになりますから、誰も誘ったりはしないでしょう。しかし年子のように、好きでないことでもかなりのレベルでこなしてしまう有能さを持っている人間は要注意なのです。加えて年子の学歴と職歴は国際的に見ても完璧ですから、日本では最高レベルの女性科学者となり、政治的活動の餌食になるのは目に見えています。

フレデリックはそういう意味では、やはり政治的な活動も「好き」だったのだと思います。だからこそ、「正しい」からといって、年子が「好き」でなさそうなことを勧めたりしなかったのでしょう。フレデリックは弟子たちにいつも「喜びをもってした時に、人は良い仕事をする」と言っていました。年子の喜びは研究でした。一九五五年九月、ついに彼女はお茶の水女子大に退職届を出します。フランス永住を決意したのです。

先にも言いましたが、この三年後にフレデリックはこの世を去ります。マリーの弟子がまた一人いなくなりました。けれどもその精神は受け継がれます。「日本のキュリー夫人」と言われた年子は、最後までその名にふさわしい生涯を送りました。おかしな共通点ですが、マリーも年子も病気を押して、時には平気でうそをつきながら医者や同僚をごまかし、最後まで現役の科学者としてその生涯を全うしました。

マリーと年子の辞書には「引退」という文字はありませんでした。また、二人ともフランスに永住しましたが、母国の発展を願う気持ちを忘れることはありませんでした。江戸時代の著名歌人 橘 守部《たちばなもりべ》（一七八一―一八四九）の末裔である年子は、優秀な科学者であると同時に、伝統的な日本文化の体現者でもありました。その歌も書も、みごとというほかありません。名文家でもあった年子は、さまざまなエッセイで日仏文化比較を論じ、日本国内だけではありますが、マリー同様、科学を超えた名声を持った、最初の日本人女性科学者となりました。

最後に一つだけ付け加えますと、名声はマリーの方が上なのですが、フランス文化の吸収、という点から見れば、多分マリーより年子の方が勝っているように思えます。再渡仏してから一七年目の一九六六年、かつて戦争中に花とミカンを送ってくれた薩摩治郎八が久しぶりに日本からパリを訪れた時、年子は世話になった元留学生として、薩摩夫妻に自分の詩とアクセサリーを贈っています。それはいかにもパリの「粋《いき》」を体現したプレゼントです。マリーの生涯には、この手の粋なエピソードがありません。年子はフレデリックが政府に強調したように、フランス文化を深く理解した、たぐいまれな日本人だったのです。

原子を壊した実験——原子力の時代へ

ジョリオ＝キュリー夫妻が人工放射能を発見したあたりから、夫妻も含めて、α線だけではなく、中性子を原子番号の大きな原子に打ち込んで、原子の中を探ろうと考える者が現れた。当初は、高速の中性子こそがこれを成し遂げると考えた。ところが速い中性子は原子を素通りしてしまい、原子核に当たってくれない。中性子の発見者チャドウィックもお手上げだった。この問題を解決したのがエンリコ・フェルミ（一九〇一―一九五四）である。フェルミは他の科学者とは逆に、中性子の速度を落としたのである。ゆっくりと進む中性子こそが、原子の中に入り込み、そこにとどまってくれるのだ。こうしてその元素は質量数が一つ大きな同位体に変化する。

フェルミは、自然界に存在する一番重たい元素であるウランの原子核に中性子を打ち込んで、天然のウランより重い超ウラン元素をつくろうと考えた。しかし超ウラン元素生成の実験で大発見をしたのは、ドイツはベルリンのカイザー・ウイルヘルム研究所の物理学者リーゼ・マイトナー（一八七八―一九六八）と、化学者オットー・ハーン（一八七九―一九六八）、ハーンの若い助手フリッツ・シュトラースマン（一九〇二―一九八〇）のチームである。ハーンとマイトナーの二人は、当時ジョリオ＝キュリー夫妻のライバルと目されていた共同研究者であり、マイトナーの方は、一九〇六年に「拝啓キュリー先生」の手紙を書いて、マリー・キュリーの弟子になろうとしたこともある。

少し話がそれるが、マリーがその受け入れ方針を変えた珍しい例として紹介したい。第七章に登場する小野田忠の例で見たように、紹介状と給費とテーマがちゃんとしている研究者はとりあえず受け入れる、というのがマリーの基本方針だった。ところが、これらの条件がそろっていたマイトナーの願いは却下されたのである。マイトナーは「自分がイレーヌのライバルになりそうだったから」断られたと思っていたという説もあるが、一九〇六年のこの時にイレーヌは九歳なので、それが理由だったとは思えない。まだラジウム研究所の建物がなく、狭いキュヴィエ街の実験室だったからかもしれない。それにしても、建物が大きくなった後とはいえ、放射能の専門家ではなかった小野田がすぐさま受け入れられたりするのを見ていると、マイトナーが愚痴を言いたくなるのもわかる気はする。

かくしてマイトナーはパリではなく、ベルリンで一人前の科学者になった。一九三〇年代の半ばころは、先のチームで超ウラン元素を作り、その性質を解明しようと悪戦苦闘していた。ところがこの国では深刻な政治問題が起きていた。ナチスの台頭である。本文でも述べたが、反ユダヤ主義を掲げるナチス党党首のアドルフ・ヒットラー（一八八九―一九四五）が一九三三年にドイツの首相になって以来、この国におけるユダヤ人迫害が加速していた。ユダヤ人だったマイトナーは、研究半ばでスウェーデン亡命を余儀なくされ、物理学者を失ったチームは、実験は得意だが理論が苦手という状態になった。それでもハーンとマイトナーはドイツとスウェーデンで連絡を取り合い、マイトナーは仲間の実験状況を確認していたのである。一九三八年、マイトナーが甥で科学者のオットー・ロベルト・フリッシュ（一九〇四―一九七九）と、クリスマスの休暇を過ごしていたころである。ハーンとシュトラースマンの実験が奇妙なことになっていた。超ウラン元素ができるはずの実験で、ウランの半分くらいの重さの元素バリウムの同位体が発見されたと言うのだ。いったい何が起きたのか。

結論から言うと、あまりに重すぎる原子核は自然界に存在できず、ただでさえ大きかったウランの原子核が、中性子を取り込んで非常に不安定になり、大きすぎる水滴が二つに割れるように分裂してしまったのである。もちろん最初はマイトナーたちにもわけがわからなかった。けれどもバリウムが存在する以上、できたのは超ウラン元素ではなく、もっと軽い元素だということを認めざるを得なかった。ハーンとシュトラースマンの実験の腕は確かなのだから。ただ、問題はエネルギーだった。かたまりとなっているウランの原子核を一瞬にして真っ二つにする力、その力はどこから来るのか。打ち込んだ中性子のエネルギーでは足りない。

ここでマイトナーのかつての同僚で、やはりユダヤ人であるためにアメリカに亡命していたアルベルト・アインシュタイン（一八七九―一九五五）の有名な公式 $E=mc^2$ が、この現象の解明に役立った。マイトナーとフリッシュの計算では、ウラン原子核の分裂によってできた二つの原子核は、もとのウランの原子核よりも陽子の質量にして五分の一少ないはずだった。この小さな質量（m）に光速（c）の二乗を掛けると、予想される核分裂に必要なエネルギー値とぴったり合った。原子核を壊すエネルギー源は原子核の中にあったのだ。ジョリオ＝キュリー夫妻の実験とは違うが、こちらでも原子が転換した。しかも莫大なエネルギーの放出とともに。マイトナーは自分のこの解釈をハーンに知らせ、フリッシュとの共同論文も発表した。しかしハーンとシュトラースマンの方は、自分たちの論文にユダヤ人マイトナーの名を記すことはできなかった。

これは世界を驚嘆させる大発見となった。というのも、この時にはわからなかったが、アメリカに亡命していたユダヤ人科学者レオ・シラード（一八九八―一九六四）が、この実験を追試して、核分裂に際して複数の中性子が放出されることを確認したからである。フレデリック・ジョリオの「連鎖反応」の予言が、身近なものになったのだ。というのも、もしもこの放出された中性子「たち」が、最初に打ち込んだ中性子のように、その近くにあるウラン原子の原子核に突入するようにできたら――。最初の一撃さえ与えれば、あとはウランが「連鎖的に」核分裂を繰り返してくれる。そして人類はそこから莫大なエネルギーを得ることができるのだ。

これが原子力の原理である。フレデリックがこの力に期待していたのは、いわゆる原発に代表される、市民生活に必要なエネルギー生成装置が作りたかったからだが、時代はそれを許さなかった。この発見がドイツでなされたことに脅威をいだいたシラードが、「有名人」アインシュタインに働きかけ、トルーマン大統領（一八八四―一九七二）に核兵器の製造を進言する手紙を出させる。一九三九年八月のことだった。そのひと月後の九月一日、ナチス・ドイツはポーランドに侵攻した。第二次世界大戦が始まったのだ。ただ、アメリカ政府はすぐには核兵器の開発を始めなかった。国内の危機感がそこまで高まっていなかったこともあるが、そもそも科学的に問題があった。連鎖反応をどうやって起こすのか、まだ誰にもわからなかったからである。

この問題にある程度めどがついたのは一九四一年のことだった。加えてその年の一二月七日（日本時間八日）の日本による真珠湾攻撃、四日後のドイツの対米宣戦布告で、政治状況も大きく変わった。一二月一八日、アメリカはついに、いわゆるマンハッタン計画（原爆製造計画）の開始を決定した。ユダヤ人だったマリー・キュリーの弟子のエリザベト・ロナ（一八九〇―一九八一）などが、この計画に引きこまれてゆく。

一九四二年一二月、妻がユダヤ人だったことでアメリカに亡命していたフェルミが、シカゴで原子炉を完成させた。連鎖反応を起こすだけでなく、その制御にも成功したのだ。原爆開発はいよいよ本格化していった。ところが、アインシュタインたちが恐れていたドイツでの核開発は、じっさいはほとんど進んでいなかった。核爆弾など夢のまた夢状態で、一九四五年の五月七日にナチスが降伏し、ヨーロッパでの戦争は終わった。にもかかわらず政府はマンハッタン計画を推進し、ロバート・オッペンハイマー（一九〇四―一九六七）をチーフとしたロスアラモス研究所の原爆製造チームも、自分たちの作業をやめようとは思わなかった。

「ナチスに対抗」という当初の目的は変化していた。目標は日本へと変わっていたのだ。ただ、参加した科学者たちの多くは、日本本土への投下は考えておらず、爆弾は無人の場所でデモンストレーションしてその威力を見せつけ、日本の降伏を促すことに使うべきだと考え、その旨の報告書を提出した。しかし軍部にも大統領府にもそんなつもりはなかった。七月一六日に世界で最初の核実験の成功を見届けたアメリカ政府は、日本の都市部への原爆投下命令を下す。一九四五年八月六日にヒロシマが、八月九日にナガサキが灰燼に帰し、一五日の日本の無条件降伏で、未曽有の死者を出した第二次世界大戦が終結する。核分裂の発見では、実験の場にいた「教授」オットー・ハーンただ一人が、一九四四年のノーベル化学賞を授与された。

第八章

異色の「女弟子」

——エーヴ・キュリー・ラブイス

いまさらの問いですが、「弟子」という言葉を狭い意味で使うならば、マリー・キュリーの弟子と言える人間は、彼女の教えを受けて科学者に、それも放射能の専門家になった人間だけがそう名乗る資格があるでしょう。もっと狭くして、その際の主たる指導者がマリーである人物だけ、とするならば、ハリエット・ブルックスなどはむしろラザフォードの弟子であり、一般的にはマリーの弟子とは言いません。

ではこの言葉を広くとるとどうなるでしょう。意味を拡大するならば、湯浅年子などは、孫弟子でもありますが、マリーの教えを常に心に抱いていたという意味で、心の弟子でもあるでしょう。また、直接マリーからいろいろなことを教えてもらったけれども、科学者にならなかった人はどうなるでしょう。それも弟子でしょうか。その人物がマリーを師と思っているならば、多分。

科学者にならなかった「母の娘」

ここでは、異色の「弟子」として、科学者にも、科学に関する職業にもつきませんでしたが、マリーと一緒に長い時間を過ごし、マリーの影響を大きく受けながら、同時にマリーの人生にも大きな影響を与えた一人の女性についてお話ししたいと思います。のちに母の伝記を書くことになる、次女のエーヴ・キュリー・ラブイスです。先に紹介した、湯浅年子によるラジウム研究所の女性たちについての記述の中に、少しだけエーヴのことが出てきます。

マドモアゼル・〔カトリーヌ・〕シャミエが「マダム・ジョリオ〔イレーヌ〕は性格もマダム・キュー

リー生写しで、マダム・キューリーも安心して居られたが、妹さんのエーヴさんはおしゃれさんでいつも研究所へ来る度にマダム・キューリーが眉をひそめて、それを注意されたものだ」と言ったことがある。

（湯浅年子『科学への道』昭和二三年、四八頁）

これは第二次世界大戦中の思い出ですが、このころパリはナチス・ドイツに占領されており、エーヴは反ナチスのジャーナリストとしてフランスを脱出し、イギリスにいたド・ゴール指揮下で抵抗運動をしていました。そのため、親ナチス派だったフランスのヴィシー政権はエーヴのフランス市民権を剝奪し、その著『キュリー夫人伝』は公の図書館から姿を消している、という状態でした。ですから湯浅はエーヴに会ったことがありません。主観を入れず、聞いたままを書いたはずです。さて、この文章はどう解釈したらいいのでしょうか。

繰り返しになりますが、マリーは働く母親でした。しかもイレーヌと違い、エーヴは二歳で父を亡くしたので、父の記憶がまったくありません。彼女にとって「親」とはマリーただ一人です。加えて孫の教育に熱心だったお爺さん、ピエールの父だったウジェーヌも六歳の時に亡くなってしまったので、ある意味イレーヌより、母の影響が強い状態で育った娘です。そしてイレーヌ同様、将来は働く女になるというモデルしか知らずに育ちました。

問題は職業です。エーヴは姉のようには科学に興味が持てません。エーヴは、マリーが自分を医者にしたいと思っていた――そして多分ラジウム療法の専門家にしたいと希望していた――と『キュリー夫人伝』の中で述べています。なんだか第五章のところで書いたマーガレットとメイベルのミッチェル母娘と重なるような話です。というのも、エーヴもマーガレット同様、文学や芸術の方に興味があったからです。ただし、マリーはメイベルとは違っていました。娘の意志を尊重したのです。

私は、この二人の母親の態度の差は、マリーの人格の方が立派だったというよりも、マリーの方が自分の人生で自分の望みをかなえていた、という点にあるような気がします。エーヴが自分の進路について考える年になっていたころには、マリーはすでに「偉人」でした。若い時に科学を志し、ポーランドにこそ戻りませんでしたが、当初の目標であった物理教師になり、さらに研究者として歴史に残る偉業を成し遂げたマリー・スクォドフスカ・キュリー。その名は世界に鳴り響いています。ついに独立した祖国の首都ワルシャワに、念願だったラジウム研究所ができるのももうじきです。確かにピエールのプロポーズこそが、マリーを職業科学者にしたのは事実ですが、そのあとの業績は、マリーが自分で決めてやり遂げた成果です。誰かに強制されたわけではありません。一〇歳でカトリックの信仰を捨てた時も、きっかけは最愛の母の死でしたが、その母自身は敬虔な信者だったのです。マリーは自分の意志で宗教を捨て、娘たちには「信仰は自由にしていい」、つまり自分の真似をしなくていいと言っていました。

母はいかにして子どもの才能を応援したのか

被占領国に生まれ、多くの権利が剝奪された環境で育ったマリーにとって、「自分で決める」ということは「自分が自由である」ことの確認作業でもありました。あまたの圧力に晒されながらも、自分で選んで進んできた人生で大きな成功を収めたマリーには、メイベルのように「自分がなれなかった職業を子どもに」と願う必要がありません。もし「自分の子どもにだけは」と思うことがあるとすれば、「住んでいる国が占領されて、市民的権利が剝奪されることがありませんように」ということだけでしょう。だからこそ、ランジュヴァン事件で世間のバッシングを受けた時にさえ、「科学者として（まだ独立できてない）ポーランドに戻ってほしい」という祖国からの誘いを蹴ったのです。そんなことをしたら、子どもを被占領国に住まわせることになるからです。マリーは、自分の子どもには人生を選択する力と権利があると信じていました。そしてその権利を保障することこそが、マリーにとっての親の役目だったのです。

ただ、イレーヌの場合は、その選択が科学者という、自分がよく知っている職業でしたから、その子の将来を予想するのは難しくありませんでした。カトリーヌ・シャミエが言っているように「安心」できるのです。でも、エーヴの選択はマリーの想像が及ばない分野でした。

エーヴは芸術家肌で、音楽にたぐいまれな才能を示し、子どもとは思えない様子でピアノを弾きます。でも、音楽のわからないマリーにはその程度が測れません。それで留学時代の友人で、ポーランドの誇るピアニストになったイグナツィ・パデレフスキ（一八六〇―一九四一）に、娘のピアノを聞いてもらいます。「才能あり」と判断されて、マリーはうれしくなります。そこで上等なピアノを娘に買い与え、ピアニストになるべく専門的なレッスンを受けさせます。ここまでは良かったのですが、プロ・デビューに際してどうも大失敗をしてしまったようです。その業界の常識を知らない場合、親は極端に楽観的になるか、やたらと心配するかどちらかです。つまりマリーは、イレーヌに対しては絶対にやらないようなことを、エーヴに対してはしてしまうのです。なんと無名の若い女性のデビューリサイタルが、マスコミの絶賛と巨大な花束の数々、一曲が終わるごとの大喝采で埋まってしまいました。これが自分の実力ではないことはエーヴが一番よく知っています。

多分マリーはいろんな人に「娘のデビューリサイタルに来てほしい」と頼んだのではないでしょうか。そしてそこから、「キュリー夫人の娘がピアニストとしてデビューする」というニュースがマスコミに漏れたのでしょう。加えてここに、エーヴ特有の理由――そのたぐいまれな美貌――が加わります。じっさい、エーヴの美貌は群を抜いています。単に「きれいなお嬢さんね」といったものではなく、ファッションモデルか女優のような美しさを持っているのです。そのスリムな体も、当時はやりのギャルソンヌ・ルックにぴったりです。

絶世の美女の孤独

美貌と言えば、イレーヌの夫フレデリック・ジョリオも、若いころから美男のフレッドと言われていましたが、それはあくまでも普通の人の中の美男という意味です。『悪魔の美しさ』で科学者の役を演じたことでその美しさを比較された、美男映画スター、ジェラール・フィリップ（一九二二―一九五九）と実際に並んだら、やっぱり見劣りがしたと思います。なぜなら、美しく見える、というのは、じっさいは顔の美醜だけではなく、身長やスタイル、立ち居振る舞い、洋服のセンス、華の有無などが加味されるからです。

その点フレデリックは「あの人、イケメンね」という程度の美男です。けれどエーヴは違うのです。エーヴなら、当時のトップモデルと並んでも見劣りしなかったでしょう。じっさい、プロのカメラマンが撮った、一流デザイナーであるスキャパレリ（一八九〇―一九七三）のドレスをまとったエーヴの写真は、誰が見てもトップモデルのようです。こうして、母親の名声と本人の美貌が、肝心のピアノの話を脇にのけてしまいます。エーヴは母の七光ではなく、自分の実力で判断してほしいと願っていましたが、それができなくなってしまったのです。地味なデビューをして、少しずつ腕を磨いてゆくはずだったエーヴは、この「過剰な称賛」という事態に絶望しますが、母のマリーには、芸術家としてのエーヴの苦悩が理解できません。

そして多分ラジウム研究所の女性たちもマリー同様、エーヴが理解できなかったのだと思います。シャミエのセリフの中には、エーヴに対するシャミエの違和感がよく出ています。私は、湯浅が「おしゃれさんで」という日本語で表した元のフランス語はなんだったのだろうと考えてみたのですが、多分「コケット」だという結論に達しました。それは単にファッションに凝るという以上の意味、要するに男性の気を引くような立ち居振る舞いをするという意味も含まれます。エーヴは顔がきれいなだけ

エーヴ・キュリー　1927年ごろ
〈所蔵：Musée Curie（coll. ACJC）〉

でなく、ポーズも決まっている、華やかな美女です。そんな女性がラジウム研究所に来たら、知らない人なら「あの美女はいったい何者だ」ということになるに決まっています。そこで「ピアニストを目指しているキュリー所長の下の娘さん」と言われると、誰でもびっくりするでしょう。なにせ、姉は驚くべく愛想のないイレーヌです。べつに不細工ではありませんし、知的な美しさがあると言ってもいいでしょう。しかし「人目などどうでもいい」というオーラが全身からにじみ出ているので、「コケット」のかけらもありません。マリーも似たようなものです。

母娘三人の顔をよく見ると、シャミエの感想に反して、イレーヌよりも、エーヴとマリーの方が顔の造作は似ているのですが、エーヴの醸し出すエレガントな雰囲気は、素朴で飾り気のないマリーやイレーヌとは別世界のものです。それは一瞬にしてその場の雰囲気を変えるに十分な威力があります。

じっさい、マリーが学会にエーヴを連れて行くと、美人に目のないアインシュタインなどは、いつも真っ先にエーヴに近づいてくるのです。アインシュタインの態度はご愛敬としても、ラジウム研究所がそういう感じになるのは困ります。だから、マリーは「眉をひそめて、その度に注意する」ことになります。ラジウム研の女性研究者は、マリーを模範としてやってきた人が多いので、気持ち的にはマリーの側につきます。

シャミエのセリフには「なにさ、あの派手な格好」と言いたげな雰囲気があります。こうなるとエーヴは楽しくありません。科学そのものにも興味が持てませんが、それを職業にしている人にも親近感を感じないのです。小さいころから世話になっているアンドレおじさんは別かもしれませんが、芸術について相談できる相手ではありません。しかも科学と関係ないピアノリサイタルをしても、母の影響力が追いかけてきて、きちんと評価されません。どうすれば、自分自身として生きていけるのでしょう。

伊勢海老事件の顚末

エーヴはやはりポーランドの誇るもう一人のピアニスト、アルトゥール・ルービンシュタイン（一八八七―一九八二）にこのデビューリサイタルのことを愚痴ります。そしてピアニストはやめて「音楽評論家になることにしました。それなら意見を自由に言えますもの。こんな状態で聴衆の前で演奏するより、その方が音楽に奉仕することになると思います」（A・ルービンシュタイン、一九八三、上、三一一頁）と打ち明けるのです。ルービンシュタインは音楽を愛する者同士として、親身にエーヴの相談に乗ってくれました。

ルービンシュタインはどちらかというと根無し草的人物でしたが、それでもマリー同様、ポーランドのために力を貸すことがたびたびありました。マリーの姉夫婦が経営するサナトリウムの資金集めのために、チャリティ・コンサートをしたこともあります。そうした縁で、パリでポーランド音楽祭があった時に、エーヴはピアニストを自宅のディナーに招待しました。一九二五年のことです。この時のことをルービンシュタインが『ルービンシュタイン自伝』に書き残しているのですが、ここでこの、興味関心が全然違う母娘の関係を象徴するような事件が起きます。

伊勢海老が大好きだったルービンシュタインのために、エーヴは奮発して仕出し屋に伊勢海老を注文し、それを出前させます。ところが贅沢の嫌いなマリーは、たとえ故国の誇るピアニストを招待する時といえども、そんな出費は認めません。届けられた伊勢海老を見た瞬間に、客の前で、「なぜこんな贅沢をするの」

と言ってエーヴにくってかかります。エーヴは「ルービンシュタインさんは何度も私に伊勢海老をごちそうしてくれたのだから、今日は私がおごる番だ」と言って母に反論します。仰天したのはルービンシュタインです。世界一有名な女性科学者、祖国の誇る偉人女性が、伊勢海老のことで成人した娘とけんかをしているのです。そもそも「伊勢海老が好き」という贅沢な好みそのものが敬遠されていると見たピアニストは、なんとかこの場を収めようと、自分が貧しかったころの苦労話などをして、マリーの気を伊勢海老からそらそうとします。最終的にけんかは収まりますが、彼は心底びっくりしたと思います。

エーヴは「母は年配の教授か自分の友達しか〔家に〕呼びません。私はもっと人生を楽しみたい。人生や、音楽や、芸術や、人間が好きなのに、淋しくてしかたないんです」（A・ルービンシュタイン、一九八三、上、三一一頁）とルービンシュタインに嘆いています。芸術家肌で社交的な二十代の娘として、当然と言えば当然でしょう。マリーの母親は、美しい声をした音楽好きの美人教師でしたから、このスクォドフスカ夫人が生きていたら、孫娘の助けになったかもしれません。しかし、この人はマリーが一〇歳の時からお墓の中です。エーヴはイレーヌと違って、母とその仲間たちとはまったく違う人々の中から、自分の理解者を探さなければならない宿命を背負っていました。その点では、二代目の女性科学者になったイレーヌよりも、あるいは物理教師だった父に期待されたマリーよりも、もっと孤独で困難な、パイオニアの人生だったと言ってもいいかもしれません。

戦時ジャーナリストとして生きる

有名人の子どもになるというのは大変なことです。ただ、それを使いこなせるほどの器量が持てれば話は別です。マリー自身が、最初はわずらわしいと思っていた自分の名声を使って、ワルシャワにラジウム研究所を建てさせたようなこともできるのです。エーヴは母の死後、自分の文才を駆使して母の伝記を書いただけではなく、ナチス・ドイツの脅威から世界を救うために、自分の持つ、この「キュリー夫人の娘」という名声を利用します。最近カナダで、エーヴが出演した第二次世界大戦中のポーランド＝アメリカ合作のプロパガンダフィルムが発見されました。アメリカ人の気持ちをナチス打倒へと動かすために、エーヴは自ら英語でナレーションしているのですが、そのフィルムのタイトルが「私の母の国」なのです。

初めにも述べましたが、この時エーヴはナチスに敵視され、親独のヴィシー政権により、フランスの市民権を剝奪されていました。まさに、多分マリーが一番守りたかったであろう「娘の人権」が脅かされていたのです。しかしエーヴはもう、小さな子どもではありません。三九歳の独立した大人の女性です。この状態は覚悟の上での、ナチスと闘うという自分自身の決断でした。ロシアの圧政に負けなかった母の娘は、どんな迫害にもひるみません。

発見されたフィルムの内容は、要するに歴史あるポーランドがナチス・ドイツに占領されて町が破壊され、人民が虐殺されて大変なことになっているという話で、そこが故国であるという以外、キュリー夫人と直接の関係はありません。それでも、単に「ポーランドの危機」といったタイトルよりも「キュリー夫人の故国の悲劇を、あの伝記を書いた娘が語る」ことがわかるタイトルの方が、キュリー夫人大好きのアメリカ人の気を引く可能性は高いでしょう。かつて、母の影響力のないところに行きたい――母から逃げたい――と思い詰めていたエーヴが、ついに「自分の目的のために母の娘であることを冷静に使う」ことができるまでになったのです。ピアニストをやめたエーヴは、いまや世界の首脳と渡り合える、有能でしたたかなジャーナリストでした。じっさい、戦争中にチャーチル、周恩来、ネール、ルーズベルトと差し向かいでインタビューできた戦時特派員は、世界中でエーヴだけだったとまで言われているのです。こうした功績で、エーヴは一九四四年にフランス政府から叙勲されています。かくして、マリーの娘たちはそれぞれの世界大戦で「戦士」として活躍し、フランスの誇りとされました。

二人の「戦士」を育てた母が得たもの

ただ、どちらもが「戦士」の魂を宿していたとはいえ、二人の娘たちは、本当にタイプの違う姉妹でした。娘二人もそれなりに大変だったでしょうが、母親であるマリーも、同時にこの二人の相手をするのは大変だったと思います。いくら相手を理解しようとしても、これだけ違うと、努力でどうにかなる問題ではありません。それでもマリーは――伊勢海老は別として――子どもに自分の願望を押し付けることなく、その子がその子なりの方法で花開くのを待つことができた母親でした。

私は、子どもを持つことだけが人間の、ましてや女性の務めだとは思いませんが、マリーとエーヴの関係を見ていると、吉田兼好（一二八三ごろ―一三五二以降）の『徒然草』にある「子故にこそ、万のあはれは思ひ知られ」という文を思い出します。子を持ちて知る、兼好曰くの「情け」や「あはれ」とは、思いやりや優しさだけでなく、差異を認める度量をも含む概念ではないでしょうか。エーヴの子育てを通して、異なる存在と生きることを知ったマリーは、きっと弟子たちの指導の中でも、その経験が生かされたに違いないと私は思うのです。

それは多分エーヴの方も同じことで、あまりにも違うタイプの人間たちが家族だったおかげで、子どもの時から、世界における人間同士の差異を、所与のものとしてとらえることができたに違いありません。その経験は多分、一九五四年のアメリカ人ラブイスとの結婚後、ユニセフの事務局長となった夫とともにこの組織で働くことを通して、子どもたちの福祉を目指した時にも役立ったことでしょう。エーヴは遺言で、相当の遺産をワルシャワのラジウム研究所とパリのキュリー博物館に寄付しました。いまや博物館にはエーヴの資料も少なからず保管されています。確かに科学の進歩に直接関与したのは二組のキュリー夫妻だけですが、エーヴもまた、ある意味マリーの女弟子の一人として、ここに記憶されるにふさわしい人物だと私は思うのです。

おわりに

キュリー先生の女弟子

こうして、マリー・キュリーがセーヴル女子高等師範学校に勤め始め、「先生」と呼ばれるようになった一九〇〇年から、最後の「弟子」エーヴが亡くなる二〇〇七年までの、ほぼ一〇〇年間を駆け足でめぐったことになりますが、皆さんはこの女弟子たちの話の中に、何を見つけられたでしょうか。

キュリー夫人にはこんなにたくさんの女の弟子がいたのか、と驚いたでしょうか。それとも、当時これだけの数の女性が科学を学んでいたのに、そういう話は全然教えられてこなかった、と感じたでしょうか。あるいは、女弟子はたくさんいるけれど、結局超有名なのはキュリー夫人ただ一人で、他は娘でノーベル賞受賞者のイレーヌ・キュリーくらいだ。やっぱり科学で大発見をする女性は数が少ないな、と思われたでしょうか。

さて、ここで最後の点について少し「科学的に」考えてみたいと思います。確かにマリーの女弟子の中では、たとえばコラムのような通史で取り上げられる科学者、つまりノーベル賞級の仕事をした女性はイレーヌだけかもしれません。あえてもう一人挙げるとするならば、ノーベル賞の候補になったマリエッタ・ブラオでしょうか。けれども、マリエッタはどちらかというとマイヤーの弟子です。マリーを第一の師と仰ぐ科学者ではありません。男の弟子はどうなるかというと、「マリーの弟子」と言ってまちがいのない人物で、ノーベル賞級の科学者はフレデリック・ジョリオしかいないのです。となると、キュリー先生の男弟子の数は女弟子の倍以上ですから、おおざっぱに計算しても、大科学者の出る確率は女性が男性の二倍という結論になります。でも、これは「科学的に」正しい結論でしょうか。

これこそが「統計のウソ」あるいは「数字のマジック」というものです。この「女の科学的才能は男の二倍」という結論は、少ないサンプル数の結果を全体に応用している、という統計上の問題や、ノーベル賞だけが科学的才能を測る基準なのかといった定義の問題を除外しても、当時の社会状況を無視した結論です。マリーが先生だったころは、今と違って男女の社会的地位が非常に異なっていた、要するに男性が圧倒的に優遇されていた時代です。ですから、セーヴル女子高等師範学校やソルボンヌ大学、あるいはラジウム研究所に来るような女性たちは、そもそもの出身家庭や、周りの同性との成績差が、マリーの弟子になる男性たちとは根本的に異なっています。マリーの弟子になった女性たちのほとんどは、国籍は違えども、生まれも良くて少女時代の女子同級生たち（彼女たちは中等教育まで、ほぼ女子校です）の中では、成績において抜きん出た存在でした。ですから男女ではサンプルの質が最初から異なっています。男弟子を一般の男性と比べた場合、ここまでの偏りはありません。

たとえば直接の弟子ではありませんが、孫女弟子湯浅年子と、男弟子の山田延男、小野田忠を比較してみましょう。湯浅はどこから見てもお嬢様ですが、山田も小野田もそこまでではありません。具体的には、湯浅年子の母方の橘家は江戸時代から続く名家ですし、彼女が子どもだった時点での父母の学歴や教養、資産状況も、圧倒的にこの二男性のそれを上回っています。たとえば湯浅の弟は、山田や小野田が行けなかった、ストレートで東京帝国大学に入る「ナンバースクール→帝国大学」ルートに、何の無理もなく乗っています。言い換えれば、女の子はそのくらいの家の出でないと、高等教育を受けられる可能性が低かったのに対し、男の子は学校の成績が良いという事実をもって、誰かが援助してくれたり、書生にしてくれたりして、そのキャリアをつないでいける可能性が高かったのです。

セーヴルの生徒だったウージェニィ・フェイティス・コットンは、何かにつけてキュリー夫妻の周りの自由と比べて、自分の育った環境の保守的傾向を批判していますが、これは裏を返せば、ウージェニィが当時のきちんとした家の出であることの証明でもあります。結局、第六章で紹介した『ルパン、最後の恋』に出てくる「自由な公爵令嬢」などというものは、めったにいないからヒロインになっているわけで、「女性の行動の自由」はほとんどの場合、財産や高い教育とはつながりません。

ですからキュリー先生の弟子になれた女性たち、ましてや外国からパリに来たような女性たちは、明晰な頭脳に加えて、きわめて例外的な環境に恵まれた女の子たちです。というのもこうした女性たちは、たとえば女子教育の典型的なジレンマの一つ、「お嬢様は下宿できない」「娘の一人暮らしを気にしないような家は、女子教育に金など出さない」といった矛盾の中をかいくぐり、針の穴のような厳しい条件をクリアできたからこそ、パリに来ることができた女性たちなのです。

科学における男と女のキャリアの差

高等教育や本人の自由だけではありません。研究環境でも女性には悩みがたくさんありました。放射能研究がしたくても、どこなら本当に女性が研究できるのでしょう。たとえば女性差別で有名だったボルトウッドなどのところでは、エレン・グレディッチのようなおおらかで勇気のある女性は別として、気の弱い女性は絶対にやっていけないでしょう。いくらラザフォードがいい先生でも、その妻の態度にカチンとくる女弟子は多かったはずです。こういうストレスは、少しずつ彼女たちの研究生活を蝕んでいきます。女性研究者たちは、男性が考える必要のない、たくさんのことを考えなくてはなりません。

だから、キュリー夫人のところでなら女性差別がないだろう、という必死な気持ちを持ってそこにやってきた女性は多かったはずです。結果として、キュリー先生の女弟子集団は、男弟子集団よりも特殊な人間の集まりになります。そういう意味では、こんなに異なる男女の集団を比較した場合、もしかしたらここだけは「女の科学的才能は男の二倍」だったのかもしれませんが。いずれにせよ、これは他の男女集団には適用できない数値です。

それよりも、女弟子と男弟子の間には、当時のジェンダー規範から来る、キャリアにおける深刻な差が生じていました。私は男の弟子全部を調べたわけではありませんが、それでも自信を持って言えることは、男弟子にはハリエット・ブルックスや、メイ・シビル・レズリーのようなキャリアをたどった人間はいない、ということです。具体的には、結婚退職した男弟子、あるいは妻の職場の移動に合わせて引っ越しをし、その土地で常勤や非常勤をつなぎつないで、細々と研究を続行したような男弟子はいないだろう、ということです。男性のキャリアに何か重大な断絶が生じるのは、革命や戦争といった政治的状況か、本人の病気などのやむを得ない事情だけです。

ここに登場した女性たちの生涯を見てわかるように、引退や中断、きれぎれのキャリアになるかどうかに、本人の科学的才能はほぼ関係ありません。それよりも彼女たち自身の意識、あるいは両親や配偶者、子どもの事情の方が、はるかに関係が深いように思えます。「女性は家族のために無私になるべきだ、あるいはそうなる性質を持っているはず」という社会のジェンダー規範が、こうした女性たちのキャリアの前に立ちふさがります。この葛藤を避けるために、結婚しない――親以外に自分が世話をする家族を作らない――選択をした女性もいたでしょう。エレン・グレディッチなどはその典型かもしれません。ただ、ここに一人、完璧な例外が存在します。キュリー先生の長女、イレーヌ・キュリーです。

ロール・モデルとしてのキュリー母娘の意味

本文でも書きましたが、イレーヌは自分の将来に専業主婦という選択肢を持たずに育ちました。その上理数系の成績が抜群です。周りの人は皆、亡き父は母を熱愛していたと断言してくれています。別の世界に飛び込んだ妹のエーヴと違い、イレーヌはその「温室のような」環境のまま、母の研究所の助手という職業生活に移行し、「世間」を知らずに一流の科学者になることができました。ですから、エーヴが「世の中で」直面した問題――「おばさまこんにちは（ボンジュール、マダム）」と挨拶しなければならない問題、つまり世間の常識との折り合い問題――をみごとにすり抜けたのです。イレーヌは子どもの時に持っていた自分だけのジェンダー観――科学的才能に男女の差はないし、女と男の違いは子どもを産むかどうかだけ――を持ったまま大人になって、それが世間のジェンダー観と違っていても気にしませんでした。こんなイレーヌが結婚や子育てや母の病気などで、自分のキャリアを中断するはずがありません。

イレーヌが研究所から離れるのは、出産前後と自分の病気と戦争の時だけです。つまり、出産以外は、男の弟子と同じです。ですから、同じ才能なら、ハリエット・ブルックスのような女性より、イレーヌのような女性の方が大発見をする確率が高くなるのは当然です。ブルックスは仕事か結婚かで悩みましたが、イレーヌにはその二つのうち一つを選択するという概念自体がないのです。ブルックスがジェンダー役割で悩むことに使ったすべての時間やエネルギーを、イレーヌは研究に向けることができます。そして、これがたいていの男科学者のエネルギー配分です。イレーヌは男科学者とほぼ同じように、自分のエネルギーの「有効活用」ができたのです。

この点では、イレーヌはマリー以上の例外です。というのも、フランスに留学する前のマリーは、少女のころにはポーランドのクラコフ風の華やかな結婚式をしたいという夢を持っていましたし、二十歳前後では留学と恋愛の狭間で長い間迷ったりもしました。でも、イレーヌの心にこんな「女らしい」感情が芽生えたことは一度もありません。その点では多分、女弟子にとっては「キュリー先生」の方が、「二代目キュリー先生」より親しみやすかったかもしれませんし、あるいは女性職業人として生きるに当たり、イレーヌのインパクトの方が強烈だったかもしれません。

マリーのほとんどの女弟子たちは、昔ながらのジェンダー規範と、キュリー先生の科学者サークルに存在する自由な思想との間で、迷いながら自分の立ち位置を見つけてゆきました。そして出生家族や夫と子どもから成る自分の家族という私的領域の問題と、戦争や革命といった公的領域での変化の両方を経験しながら、その多くがなんとかして仕事を続けていったのです。

シスターフッドと「ブラザー」たちの協力

私は、キュリー先生の女弟子たちの大部分が仕事を続けることができたのは、やはり、さまざまな苦難を乗り越えて「女性科学者」という存在を社会に認めさせたマリー・キュリーの科学への真摯な態度と、自分が科学者であることを自明のものとしているイレーヌ・ジョリオ＝キュリーの超然とした態度との影響が大きかったと思っています。

この二つの異なるロール・モデルこそが、そこで学んだ女性たちに科学者としての多様な在り方を実感させ、自分たちを縛っていた社会のジェンダー規範と闘う力になったのではないでしょうか。そしてもちろん女同士の絆、シスターフッドの力も無視できません。それはグレディッチが直接ユダヤ人の仲間の命を救ったような、文字通りのサバイバルから、「××さんも頑張っているし、自分も頑張ろう」といった精神的な影響まで、幅広い力を持つものだったと思います。こうして自分たちなりの選択をした結果、そこには何種類もの女性科学者のロール・モデルが存在するようになりました。湯浅年子が第二次世界大戦中のラジウム研究所に見たのは、キュリー先生亡き後の「いろいろな女の人が働いている」光景です。これが湯浅たち次の世代の女性科学者へのエールとなったのです。

また、湯浅やマルグリット・ペレーのキャリアなどに明白ですが、フレデリック・ジョリオやアンドレ・ドビエルヌといった、マリーやイレーヌと一緒に仕事をした男性科学者たちの協力と援助も無視できません。グレディッチがボルトウッドの女性観を変えたような戦いを続けるのは、とても疲れる「仕事」です。でも、男社会の中で女性の力を認めさせるには、必ず出てくる「仕事」でもあります。そんな時に、権力の側にいるはずの男性、それも一級の仕事をしている男性が自分たちを励ましてくれるのは、働く女性たちにとって大きな力になります。人工放射能の発見者ジョリオ先生の、アクチニウムの発見者ドビエルヌ先生の高い評価は、湯浅やペレーが自分の才能を信じる基盤になったはずです。その点では、ラザフォード先生の称賛がブルックスの迷いを吹き飛ばせなかったのは、私の目から見ればとても残念です。それでも、最初に入った研究室が、自分を評価してくれるラザフォードのところであったことが、エマナチオンの分子量や反跳現象の発見という業績を生み出したのは間違いないと思うのです。

じっさい、科学上の発見、特にこの本の中で扱ったような発見は、その個人だけに帰するようなものではありません。ここが科学と芸術の決定的な違いです。たとえばピカソの絵は、ピカソがいなければ描かれることのないものです。しかしラジウムの発見や中性子の発見などというものは、キュリー夫妻やチャドウィックがいなくても、多少遅れるかもしれませんが、必ず誰かが発見します。反跳現象はその典型です。なんとドイツのオットー・ハーンとリーゼ・マイトナーのチームは、一九〇四年のブルックスの論文を知らないまま、その四年後に自分たちがこの現象の第一発見者だと名乗りを上げて、ラザフォードに間違いを指摘されているのです。ですから反跳現象が、あの時にあの場所でブルックスによって最初に「発見」されたとするならば、それはブルックスが他の人より先に、そのことが新しい現象だと気が付くのに十分な条件を持っていたことを意味します。その「条件」には本人の才能に加えて、それを可能にする環境の力がありま す。その「環境」の一つが、ラザフォードがブルックスに寄せた高い評価と信頼だったのだと思います。

そういう意味でいくと、ピエール・キュリーこそがすべての生みの親かもしれません。ポーランドで女子校の教師になるはずだったマリー・スクォドフスカをパリに引き留め、科学研究者という、当時女性の職業としてはほとんど想定されていなかったキャリアを彼女に気づかせたのですから。マリーには同性のモデルなど存在しませんでした。科学者としても、大学教師としても、研究所の所長としても、初めてで、たった一人の女性としてその役割をこなしていきました。同性ロール・モデルの存在しないマリーが、それでもくじけなかったのは、占領されている祖国ポーランドへの愛と、一流の科学者ピエール・キュリーが自分に示してくれるゆるぎない評価があったからです。

日本人男子留学生にとってのキュリー先生——祖国愛への共感

ポーランドとピエールという組み合わせを聞くと、私は結婚直前のマリーの「お料理の特訓」のエピソードを思い出します。先にも書きましたが、学校で調理実習のなかったマリーは、お料理が全然できなかったので、二七歳で特訓する羽目になります。その時の動機の一つに「ピエールの母親に、ポーランドの娘は料理もできないのかと思われたら困る」というのがあったと、娘のエーヴが書き残しています。これはマリー本人から聞いたのか、伯母のブローニャやヘラから聞いたのかはわかりませんが、マリーがそう思ったのは事実だと思います。ここからわかるのは、マリーにとって「自分＝ポーランド」だということです。それがお料理であれ、科学論文であれ、自分の成功はポーランドの成功であり、自分の失敗はポーランドのそれです。だから、あきらめたり、へこたれたりすることなど許されないのです。マリーは、ピエールがポーランドを評価してくれることを何よりもうれしく思っていました。そしてピエールは、夫妻で最初に発見した元素に、妻が地図から抹消された祖国の名前を付けることを良いと考えたのです。

この話は女性の立場から見れば、素直に妻の実力を認め、妻の優位に立とうとしないありがたい夫のエピソードですが、当時の発展途上国から来ていた留学生の立場で見ると、むしろマリーの強い祖国愛を示すものととらえられたはずです。こういうところが、たとえば山田や小野田のような、西洋列強に追いつけ追い越せを目指していた国から来た人間にとって、性を超えたキュリー先生の魅力だったと思います。つまりマリーは、発展途上国の男子留学生にとっても、自分のモデルにしたいような科学者でした。マリーもまた、昔の苦労を忘れることなく留学生に親切でしたから、彼らはキュリー先生を慕っていました。

さて、こうなると最後に残る集団が、フランス人男弟子、あるいは先進国の男弟子です。彼らにとってのキュリー先生の魅力は何なのでしょう。ここが多分一番、マリーの弟子になることに世俗的なメリットの少ない集団だと思います。フレデリックのように、子どものころからフランスの偉人としてのキュリー夫妻に憧れていた、というような例を除けば、マリーの研究室に行く理由は科学的なものしかありません。というのも、そのあとの「就職」という面から考えると、フランス国内でのマリーの政治力、というものはその社会的名声ほどには高くなかったからです。

当時の日本のような国なら、「キュリー夫人の弟子」ということは自国での就職や昇進に有利になったでしょうが、フランス人男性にとって、それがフランス国内の就職で非常に有効か、というとそうでもありません。そもそもマリーは、この国の女性差別のために、フランスで最も権威のある科学者集団であるパリの科学アカデミー会員になれていません。じっさい、科学者仲間以外には無名でも、マリーより政治力の高い男性科学者は、フランスには何人も存在していました。だから、マリーのような流儀で放射能研究がしたい、という動機でもなければ、先進国から優秀な男性研究者がやってくることはないでしょう。そういう意味でも、女弟子の実力が男弟子の倍になっても、確かにおかしくはないのです。

キュリー先生が女性たちに残したもの

こうして、ジェンダーや国籍、民族、時期の違いによって、それぞれの弟子にとっての「キュリー先生」の意味はさまざまに異なるのですが、やはり女弟子たちにとってのマリーの存在の大きさは格別だったと思います。それは、たとえば「私のピエール・キュリー」を夢見て失敗した――結婚してみたら保守的な男だった――女性をも含めて、女弟子たちに科学を愛することへの希望、仕事を持つことの喜びを知らしめたに違いありません。マリーは生涯で何度も何度も、特に女性たちから、どうやって家庭と仕事を両立したのかと尋ねられ、そのたびに、「両立には強い決意と自制」が必要で、簡単ではなかったと答えていました。

ただし、女性がみんな自分のような極端な生活をする必要はないとしても、「私が女の人たち、女の子たちに願うのは、素朴な家庭生活と、自分が興味を持てる仕事を持つことです」とも言っています。つまり、女性科学者である自分は確かに特殊な例かもしれないが、それでも自分のキャリアの中に、何か女性にとって、いえ、多分人間すべてにとっての、普遍的な要素があると考えていたことがわかります。そして女弟子たちは、先生のこの考えに深く共鳴したのです。

最後に、マリー・キュリーのソルボンヌ大学初講義五十年を記念した式典での、ポーランド科学アカデミー長官の言葉を引用して本書を終わりたいと思います。私は、これはマリーとイレーヌ二人だけのことではなく、その女弟子たちの多くもまた、それぞれの国のそれぞれの場所で、この同じ能力を証明してみせたのだと思っています。

マリー・キュリー・スクォドフスカは、〔ソルボンヌでの〕講義を始めることで、世界中の女性に、その時までは女性たちに入ることを許されていなかった領域における、広大な地平を切り開いたのです。この女性の人生、そしてのちにはその娘であるイレーヌ・ジョリオ＝キュリーの人生の両方が、女性もまた、科学的、教育的、あるいは社会的な仕事において、その最も重責な任務を引き受けることができるということを世界に証明してみせたのです。

（*Cinquantenaire du premier cours de Marie Curie*, 1957, p. 15.）

あとがき

一昨年（二〇一九年）の夏、京都のアニメスタジオが放火され、たくさんのアニメーターが亡くなった。特に女性の犠牲者が多かったことで、私はより深いショックを受けた。被害者の家族が娘の仕事を誇りに思う気持ちを語るニュースを見ていると、ますます悲しい気持ちになった。特に、孫娘が「新人としてあこがれの職場に就職できた矢先だったのに」との祖父の嘆きは悲痛だった。そこで製作されたアニメーションの高いレベルに加え、女性の先輩が多い職場だったことから、とりわけ若い女性たちは、このスタジオでなら安心して自分の技術を開花させることができると信じて就職したに違いない。そんな夢や希望が一瞬にして打ち砕かれたのだ。黒焦げになった建物の写真を見ながら、私は彼女たちや家族の無念に茫然となった。

その時、その業界の中では女性の比率が高く、かつ年齢や地位もさまざまで――下っ端の若い「女の子」ばっかり、とかでなく――、皆が自分の能力を生かして働いていた場所、としてのキュリー研究室やラジウム研究所のことが強く思い出された。京都アニメーションと直接の関係はないけれど、女性の力が生かされていた場所への共感を持って、「マリー・キュリー先生」のもとに集まった女性たちの足跡を本にしてみたいと思ったのである。したがって本書は、その時代の女性科学者たちへの賛歌であるとともに、私なりの京アニの犠牲者たちへのオマージュでもある。

キュリーの女弟子についての研究は、すでにフランスで多少は行われていた。本書にも登場する、友人でキュリー・アーカイヴの主任学芸員であるナタリー・ピジャール＝ミコーが二〇一三年に『マリー・キュリー研究所の女性たち』という本を出していたし、その他にも部分的にはこのテーマを扱った論文も発表されていた。ただ、これらはすべてラジウム研究所の所長として、あるいはソルボンヌ大学教授としてのキュリーの弟子のみを扱い、それ以前のセーヴルの教え子や、孫弟子の女性たちを取り上げるものではなかった。

私はつねづね、「キュリー先生」の基礎はセーヴルにあると考えていたから、ウージェニィ・フェイティス・コットンをはじめとしたセーヴルの女子学生たちのことも調べてみたいと思っていた。加えて、日本のセーヴルともいえる東京女子高等師範学校出の湯浅年子のことも気になっていた。キュリーの直弟子ではないが、孫弟子であり、キュリーの魂の弟子ともいえる日本女性である。確かに山田延男や小野田忠は、直接キュリー先生の指導を受けた人物だが、科学者であり女性であるマリー・キュリーという人間の本質に迫ろうとしたという意味では、湯浅の方がずっとキュリーに肉薄している。こうしたことから、直女弟子だけではなく、孫女弟子の湯浅も含め、山田をはじめとした日本人男弟子や、アンドレ・ドビエルヌなどの男の同僚、また、広い意味での弟子の一人として、科学者ではないエーヴ・キュリー・ラブイスのことも取り上げることにした。

そんな本書の中心主題は女性科学者のキャリアパスである。ただ、科学者を扱うからには、彼女たちの科学上の業績やこの時代の科学界の事情、特にマリー・キュリーがパイオニアの一人である放射能研究がどのように生まれ、発展していったのかという主題も重要だと思った。ただ、こうした科学の発展史の話を本文に入れ込むと話が複雑になりすぎる。加えて、「おわりに」で取り上げた「大科学者の女弟子がいるのか」問題が入り込んでくることも懸念された。科学の通史を簡単に語ると、この時代のこの分野では、女はマリー・キュリーとイレーヌ・ジョリオ＝キュリー、リーゼ・マイトナーの名前しか出てこない。ほかの女弟子を軽んじるような印象を与えてしまう本になっては意味がない。

そもそも、この問題は男にとっても同じことなのだ。通史に名前が載るような業績を出せる科学者など、全体から見れば一握りである。それはスターを夢見て俳優になった者のうち、本当に映画や舞台で主役級になれる、あるいはそれで食べていける人間になれるのは、ほんの一握りなのと同じことである。違いがあるとすれば、科学者の訓練を受けた者の方が、理科教員や検査技師になるなどして、俳優よりは安定した収入を確保できる可能性が高いだけだ。そして現実には、科学者志望の者は、女より男の方が圧倒的に多かったので、「大科学者になれなかった男」の絶対数は「大科学者になれなかった女」のそれよりはるかに多い。しかしこれらの無名の人々による、すそ野の広い仕事なくしては、「スター」による大発見は生まれなかったし、その発見のその後の発展もありえなかったのである。

そうした事情を考慮して、本文では主に「科学の常勤職につけたか否か」「その職は教育職か研究職か」ということに主眼を置いてキュリーの弟子たちの足跡をたどった。科学的内容、いわゆる学説史の部分については、コラムという形で分散して載せることにした。こうすれば、両方の部分を比較することで、イレーヌが生まれたころにはまだピッチブレンドの異常が発見されてないな、とか、エーヴが母の伝記を出したのは、核分裂発見の前夜だったのだな、といったことを確認することもできる。読者にはこの本をいろいろに使ってほしい。偉人と謳われた女性科学者の周囲で、さまざまな女たち、男たちが働き、科学という大きな建物の一部を作り続けていた。そしてそれは、この人々が時代の一部を作っていたということでもある。

おしまいに、湯浅年子の文章を引用してこの話を終わりにしたい。

先日、ある日本の女性で科学の研究に精進している友人と話し合ったのだが、「日本の今までの大学で共学をすると、女子は二つの極めて極端な型のいずれかを持つ事を強要されてしまう。Aは極端に女性的要素をひそませてしまった、いわゆる中性とよばれる型。Bは極端に女性的要素を誇張した型。どちらも不自然な歪められた女性の姿である。」〔ラジウム研究所の〕マドモアゼル・ペレーなどはこれと正反対に全く自然な態度なのである。

湯浅年子『科学への道』（昭和二三〈一九四八〉年、四七頁）

一九四〇年にフランスに来た湯浅は、生まれて初めて、構えず、媚びず、「自然に」科学研究する女性たちを目撃した。それは実のところ、フランスでも特殊な場所で、すべてのフランスではなかったが、日本でそういう世界を見たことがなかった湯浅にとっては、フランスが自分に与えた衝撃と受け止めた。それから八〇年たった今、かつての湯浅の危惧は解消されたのだろうか。「何をもって自然な態度というのか」という問題は確かにあるが、科学に限らず、自分がここにいて安心でき、自分の発言が尊重される、と確信できる女性たち、男性たちが働いている職場、あるいは学んでいる学校が、この国で、そして世界で増加発展することを願ってやまない。

本書の完成を支えてくれたすべての人に感謝する。特に、ドメス出版に紹介の労を取ってくださった、日本十八世紀学会の大先輩白井堯子先生、コラムの科学的部分を見てくださった化学史学会の先輩の内田正夫先生と、お茶の水女子大学理学部の森義仁先生、加古川西高等学校校長の木村篤志先生に厚く感謝する。また『マリー・キュリーの挑戦』を読んで、エーヴ・キュリーについての興味深い情報を寄せてくださった、パリ在住でピアノ音楽と歴史の愛好家で元精神科医の平田あゆ子さん、そしてなによりも登場人物たち――ジョリオ＝キュリー夫妻、山田延男、小野田忠――のご子息である、ピエール・ジョリオ、山田光男、小野田博（二〇二〇年六月逝去）の三氏からの貴重な情報に心から感謝する。最後になったが、原稿を細かくチェックし、常に有益な指摘をしてくれたドメス出版の平岩実和子さんに深く感謝する。

二〇二一年一月　コロナ禍がいまだ落ち着かぬ名古屋にて

川島　慶子

マリー・キュリー関連年譜

年	マリー・キュリー関連事項	同時代の世界のできごとと科学の流れ
一八五三		クリミア戦争。ナイチンゲールの活躍 ペリー、浦賀に来て日本の開国を求める
一八五九	ピエール・キュリー、五月五日 パリに生まれる	イギリスのダーウィンが『種の起源』を著す イタリア統一戦争（〜一八六〇）
一八六一		アメリカ南北戦争（〜一八六五） イタリア王国が建国
一八六三		アメリカ大統領リンカーンが黒人奴隷解放宣言
一八六五		オーストリアのメンデルが「遺伝の法則」を発見
一八六六		普墺戦争
一八六七	ポーランド名マリア・スクォドフスカ（後のマリー・キュリー）、一一月七日ロシア領ポーランドのワルシャワに生まれる	スウェーデンのノーベルがダイナマイトを発明 日本、大政奉還
一八六八		日本、明治元年
一八七〇		普仏戦争（〜一八七一） フランス第三共和政成立
一八七一		ドイツ帝国の成立（〜一九一八）、ヴィルヘルム一世が初代皇帝に、ビスマルクが初代宰相に就任

マリー・キュリー関連年譜

一八七八	マリアの母が結核で死去。これを機に無神論者になる	パリ・コミューンの勃発と終了
一八七九		アメリカのエジソンが白熱電灯を発明
一八八〇		フランスで、女子中等教育の世俗化を定めたカミーユ・セー法の成立
一八八三	マリア、最優秀の成績で高校を卒業	
一八八四		清仏戦争（〜一八八五）
一八八六	姉ブローニャの学資のために、マリアは住み込みの家庭教師となる（九一年まで）	
一八九一	マリア、パリに発つ。ソルボンヌ大学理学部入学。フランス風にマリーと名乗り始める	
一八九三	マリー、トップの成績で物理学の学士号取得	
一八九四	マリーとピエールの出会い。マリー、二番で数学の学士号取得	日清戦争（〜一八九五）
一八九五	マリーとピエールの結婚	ドイツのレントゲンがX線を発見 イタリアのマルコーニが無線電信を発明
一八九六	マリー、トップの成績で女子中等教育資格試験合格	アンリ・ベクレル、ウランより出る放射線の発見 第一回近代オリンピック開催
一八九七	キュリー夫妻の長女イレーヌ生まれる マリー、放射線研究開始	
一八九八	六月、キュリー夫妻はポロニウムの存在を発見。一二月、ラジウムの存在を発見	

一九〇〇	ピエールはソルボンヌ大学理学部の物理の講師になる。実験室はキュヴィエ街の理学部の校舎の二部屋 マリー、セーヴルの女子高等師範学校の物理学教師となる	
一九〇一		第一回ノーベル賞。物理学賞はレントゲンによるX線の発見に与えられる
一九〇二	キュリー夫妻、ラジウムの原子量をつきとめる	
一九〇三	マリー、フランス女性初の物理学での国家理学博士号取得 キュリー夫妻とアンリ・ベクレルが第三回ノーベル物理学賞受賞。女性初のノーベル賞	アメリカのライト兄弟が飛行機を発明
一九〇四	ピエール、ソルボンヌ大学教授に。マリーは実験主任となる キュリー夫妻の次女エーヴ生まれる	日露戦争（〜一九〇五）
一九〇五	ピエール、パリ科学アカデミー会員選挙、ギリギリで当選	ドイツのアインシュタイン、特殊相対性理論を発表
一九〇六	ピエール、四月一九日死去 マリーはピエールの後を継いで、五月からソルボンヌ大学理学部の放射能の講座主任となり、新研究者の受け入れが始まる。弟子第一号がカナダのハリエット・ブルックス。実験室は常にキュヴィエ街の校舎の二部屋 マリー、一一月五日に最初の授業（ソルボンヌ大学で講義をした最初の女性）	
一九〇七	マリー、アメリカのカーネギー教育振興財団からの期間一年の奨学金を複数獲得 ノルウェーのエレン・グレディッチがキュリー研究室に来る	

一九〇九	キュリー研究室のメンバー数は二四人に。この年パスツール研究所のエミール・ルーから打診があり、同研究所の敷地に、マリーのための放射能研究所建設を提案。これを受けてソルボンヌ大学が、パスツール研究所と共同で、ソルボンヌ大学の敷地内に物理と化学の基礎研究と、医学と生物学研究の両方の研究所を建てることを決定 湯浅年子（明治四二年）東京の上野に生まれる	
一九一一	マリー、パリ科学アカデミー会員選挙落選 ランジュヴァン事件がマスコミで騒がれる マリー、ノーベル化学賞受賞。人類初の二度目の受賞 マリー入院。この間はアンドレ・ドビエルヌがキュリー研究室を運営	
一九一二	ラジウム研究所建設開始。物理学・化学部門の所長はマリー。医学・生物学部門の所長はルゴー医師に決定	
一九一四	七月、ラジウム研究所開所 八月三日に第一次世界大戦勃発	第一次世界大戦が始まる（〜一九一八）
一九一五	マリー、X線治療車による活動開始	アインシュタインが一般相対性理論を完成
一九一七		ロシア革命（三月革命・一一月革命）
一九一八	第一次世界大戦終了。イレーヌ・キュリーが特別助手として採用される	ポーランドの独立
一九一九	戦後、医学・生物学部門はルゴーの方針で主に癌治療に焦点を絞る	パリでベルサイユ条約 ドイツがワイマール憲法制定

一九二〇	マリーとルゴーの努力と、アンリ・ド・ロスチャイルドの協力で、キュリー財団設立	国際連盟の成立 ドイツのミュンヘンで第一回ナチス党大会 アメリカで女性参政権が成立
一九二一	マリーは娘二人と一緒にアメリカに招待される。ハーディング大統領から一グラムのラジウムを受け取る	中国共産党の成立 イタリアにファシスト党が結成される
一九二二	マリー、パリ医学アカデミーの通信会員となる（女性初） ラジウム研究所がパンテオンの近く（研究所の近く）に、無料診療所開設。ルゴーのチームが、ここで最先端の放射線治療を施術する。キュリー財団は癌撲滅の財団モデルとなる	ワシントン条約 ムッソリーニがイタリアのファシスト政権を樹立 ソビエト社会主義共和国連邦、成立
一九二三	山田延男、ラジウム研究室に所属（二六年初めまで）	
一九二五	フレデリック・ジョリオ、ラジウム研究所に入所	
一九二六	長女イレーヌ、フレデリックと結婚。夫妻は正式にジョリオ＝キュリーと名乗る	
一九二七	湯浅年子、東京女子高等師範学校（現・お茶の水女子大学）理科入学 小野田忠、ラジウム研究所入所（二八年まで） 山田延男死去	
一九二九	マリー、姉ブローニャと一緒に二度目のアメリカ訪問。フーバー大統領と会見。一グラムのラジウムをワルシャワの研究所のためにもらう	世界経済恐慌が始まる
一九三〇		ロンドン軍縮会議
一九三一	湯浅年子、東京文理科大学（現・筑波大学）に、物理学科初の女子として入学	

一九三二	ラジウム研究所への匿名の寄付により、無料診療所の後ろに、新しい生物学研究所を建設。キュリー研究所の方でも、常に最先端の放射能研究を推進	
一九三三		ドイツにヒットラー内閣が成立 ナチスのユダヤ人迫害が始まる
一九三四	マリーの死の直前、ジョリオ＝キュリー夫妻が人工放射能を発見 マリー・キュリー、七月四日死去 アンドレ・ドビエルヌが二代目所長となる。この時点で所属研究者数は六三人。これ以降も、ラジウム研究所は篤志家の寄付と、国の援助で運営された	ドイツに総統ヒットラー（〜一九四五）
一九三五	ジョリオ＝キュリー夫妻、ノーベル化学賞受賞	
一九三八	湯浅年子、東京女高師の助教授になる。このころ、フランスのジョリオ＝キュリー夫妻の人工放射能の論文と出会う	ドイツのハーンとシュトラースマンによる核分裂発見の実験。マイトナーがこれを解釈
一九三九		第二次世界大戦が始まる（〜一九四五） アインシュタイン、シラードに促されてアメリカのルーズベルト大統領に原爆開発を進言
一九四〇	湯浅年子、フランスに向けて出港。コレージュ・ド・フランスのフレデリック・ジョリオ＝キュリーの研究室で研究開始	
一九四一		ドイツがソ連に宣戦 日本がアメリカに宣戦。太平洋戦争が始まる（〜一九四五） アメリカで原爆開発計画（マンハッタン計画）開始
一九四二		シカゴで世界最初の原子炉が完成

一九四三	湯浅年子、フランス国家理学博士取得	イタリアが降伏し、ファシスト党が解体 カイロ会談
一九四四	湯浅年子、八月に大使館の命令でパリを退去	フランスで女性参政権が成立
一九四五	湯浅年子、六月に帰国。八月一五日、日本はアメリカに無条件降伏。湯浅は東京女高師復帰	ドイツが無条件降伏 アメリカが広島、長崎に原爆投下 日本がポツダム宣言を受諾。第二次世界大戦の完全終了 国際連合、成立 日本で女性参政権が成立
一九四六	ドビエルヌ退職。イレーヌ・ジョリオ＝キュリーがラジウム研究所三代目所長となる	
一九四八		世界人権宣言
一九四九	湯浅年子、フレデリック・ジョリオ＝キュリーの誘いで再渡仏。本格的に研究を再開	北大西洋条約機構、調印 中華人民共和国、成立。毛沢東が主席に
一九五四	エーヴ、アメリカ人のラブイスと結婚	
一九五五	湯浅年子、お茶の水女子大学を退職。パリで永住を決意	
一九五六	イレーヌ死去	
一九五八	フレデリック死去	
一九六二	マルグリット・ペレー、女性初のパリ科学アカデミー通信会員となる	キューバ危機
一九六五	エーヴ、ユニセフの事務局長ラブイスとともに、ノーベル平和賞の式典に参加	
一九六九		アメリカのアポロ一一号が月面着陸

一九七〇	ラジウム研究所とキュリー財団の統合	
一九七八	ラジウム研究所、名前を「キュリー研究所」と改名。目的は「研究、教育、癌治療」の三つ	
一九七九		ソ連がアフガニスタンに侵攻 米中国交が正式に樹立。米、台湾と断交
一九八〇	湯浅年子死去。この日に湯浅提案の日仏共同研究承認	イラン・イラク戦争
一九八二	小野田忠死去	
一九八六		ソ連のチェルノブイリ原発事故
一九八九		冷戦終結宣言 ベルリンの壁崩壊
一九九〇		東西ドイツが統合
一九九一		湾岸戦争 ソ連邦、解体
一九九五	ミッテラン大統領、キュリー夫妻の遺体をパンテオンに移葬	
二〇〇一		アメリカ同時多発テロ
二〇〇二	お茶の水女子大を主催機関に湯浅年子記念の奨学基金設立	
二〇〇七	キュリー研究所は、ピエール＝ジル・ド・ジェンヌ財団のメンバーとなる エーヴ、ニューヨークで死去	
二〇一〇	キュリー研究所とルネ・ユゲナン癌センターの統合	
二〇一一		東日本大震災。福島原発事故

山崎美和恵「海外で活躍した日本初の女性物理学者　湯浅年子」『科学する心　日本の女性科学者たち』（岩男壽美子・原ひろ子編）日刊工業新聞社，2007.
山崎美和恵『物理学者湯浅年子の肖像』梧桐書院，2009.
山本俊朗，井内敏夫『ポーランド民族の歴史』三省堂，1980.
山本義隆『原子・原子核・原子力』岩波書店，2015.
湯浅年子『科学への道』日本学芸社，昭和 22 年；増補版，昭和 23 年；再版，昭和 24 年 .
湯浅年子『フランスに思ふ――もん・かいえ・あんてぃーむ』月曜書房，昭和 23 年 .
湯浅年子『黒葡萄《むすか》』古今書院，昭和 23 年 .
湯浅年子『放射性同位元素とその生物学医学への応用』培風館, 昭和 26 年;改訂版, 昭和 30 年 .
湯浅年子「“永遠の足跡”――20 世紀の科学者　ジョリオ・キューリーの想い出」『自然』1 月号 , 1966: 93-128.
湯浅年子「続“永遠の足跡”――20 世紀の科学者　ジョリオ・キューリーの想い出」『自然』2 月号 , 1966: 96-103.
湯浅年子「保井コノ先生――一つの高い道標」『自然』7 月号 , 1973: 74-82.
湯浅年子『パリ随想　ら・みぜーる・ど・りゅっくす』みすず書房，1973.
湯浅年子『続パリ随想　る・れいよん・ゔぇーる』みすず書房，1977.
湯浅年子「稀少現象を探って来た道を振り返って」『日本物理学会誌』**34-4**, 1979: 272-273.
湯浅年子「コレジ・ド・フランスに拠る科学者像（3）――ポール・ランジュヴァン教授」『自然』5 月号 , 1980: 64-73.
湯浅年子『パリ随想 3　むすか・のわーる』みすず書房，1981.
湯浅年子『一筋の葦、女性原子物理学者湯浅年子姉のパリ便り』東京女子高等師範学校理科昭和六年卒業生一同編，昭和 56 年 .
湯浅年子「30 年来の課題を中心に」『日本婦人科学者の会 30 年記念誌』，1989.
湯浅年子，山崎美和恵編『湯浅年子　パリに生きて』みすず書房，1995.
『湯浅年子資料目録』（お茶の水女子大学女性文化研究センター，平成 5 年）.
『湯浅年子資料目録　続』（お茶の水女子大学ジェンダー研究センター，平成 10 年）.
『湯浅年子公開資料目録』（お茶の水女子大学ジェンダー研究センター，2009）.
米沢富美子編『人物でよむ物理法則の事典』朝倉書店，2015.
渡辺克義『物語 ポーランドの歴史――東欧の「大国」の苦難と再生』中央公論新社，2017.

参考文献

桜井邦朋『マリー・キュリー――激動の時代に生きた女性科学者の素顔』地人書館，1995.
『自然：特集 理化学研究所 60 年の歩み』12 月号増刊，1978.
白井堯子『明治期女子高等教育における日英の交流――津田梅子・成瀬仁蔵・ヒューズ・フィリップスをめぐって』ドメス出版，2018.
白鳥義彦「世紀転換期フランスにおける外国人留学生の動向」『教育社会学研究』第 60 週，1997: 117-138.
杉田雅子「エレノア・フレクスナー『一世紀の闘争：アメリカ合衆国の女性の権利運動』における女性の力と社会の変化」『群馬パース大学紀要』**10**, 2010: 3-15.
瀬野信子教授御退官記念事業実行委員会『細胞間マトリックスの生化学と 37 年』瀬野信子教授御退官記念事業会，1992.
高木仁三郎『マリー・キュリーが考えたこと』岩波書店，1992.
竹内洋『立身出世主義――近代日本のロマンと欲望（増補版）』世界思想社，2005.
田島英三『ある原子物理学者の生涯』新人物往来社，1995.
立花太郎「森鷗外のキュリー夫人への関心」『現代化学』2 月号 , 2013: 36-39.
橘木俊詔『女性と学歴――女子高等教育の歩みと行方』勁草書房，2011.
新関欽哉『第二次大戦下ベルリン最後の日――ある外交官の記録』NHK 出版，1989.
西尾成子『こうして始まった 20 世紀の物理学』裳華房，1997.
日本ダイカスト協会編『日本ダイカスト史』日刊工業新聞社，昭和 61 年 .
福田陸太郎『福田陸太郎著作集』7vols., 沖積社，1998-1999.
福田陸太郎『福田陸太郎詩集』土曜美術社，2001.
富士原雅弘「旧制大学における女性受講者の受容とその展開――戦前大学教育の一側面」『教育学雑誌』**32**, 1998 : 76-91.
物理学史研究刊行会編『放射能』物理学古典論文叢書 7，東海大学出版会，1970.
古川安「津田梅子と生物学――科学史とジェンダーの視点から」『科学史研究』**49**, 2010: 11-21.
前田陽一「欧州戦遁走記」『日本評論』**25-11**, 1950 : 53-61.
前田陽一「欧州戦遁走記（続）」『日本評論』**25-12**, 1950 : 84-95.
村上紀史郎『「バロン・サツマ」と呼ばれた男――薩摩治郎八とその時代』（藤原書店，2009）
森鷗外『阿部一族・舞姫』新潮社，昭和 43 年 .
森鷗外『椋鳥通信』（池内紀編注）上，中，下，岩波書店，2014, 2015, 2015.
森鷗外，金子幸代編『鷗外女性論集』不二出版，2006.
森まゆみ『断髪のモダンガール――42 人の大正快女伝』文藝春秋，2008.
保井コノ「初の女性博士となるまで」『自然』9 月号，1963: 28-49.
山崎正勝・日野川静枝『原爆はこうして開発された』青木書店，1990.
山崎美和恵『パリに生きた科学者　湯浅年子』岩波書店，2002.

片岡美智『人間——この複雑なもの』文藝春秋新社，昭和30年．
片岡美智，大崎正二「ドイツ占領下のフランス」『人文学報（東京都立大学人文学会）』，**333**, 2002: 1-56.
加藤美雄「パリの湯浅年子さんのことなど——第二次大戦初期の留学生活」『流域』23, 1988: 10-13.
加藤美雄『わたしのフランス物語——第二次大戦中の留学生活』編集工房ノア，1992.
加藤美雄『続わたしのフランス物語——第二次大戦中の留学生活』編集工房ノア，1994.
神谷光信「湯浅年子・片岡美智・加藤義雄のパリ：第二次世界大戦下のフランス留学」https://religio.amebaownd.com/posts/4187882
川島慶子『マリー・キュリーの挑戦』（トランスビュー），初版，2010；改訂版，2016.
川島慶子「ジェンダーの視点から見た、『科学者』マリー･キュリーの『成功』」『化学史研究』**40-1**（No.142），2013: 20-33.
川島慶子「山田延男と湯浅年子——キュリー家の人々に師事したふたりの日本人科学者」『化学史研究』**39-4**（No.141），2012: 179-190.
川島慶子「マリー・キュリー——ポロニウムの発見と失われた祖国」『化学史研究』**43-1**（No.154），2016: 36-45.
川島慶子「『湯浅文書』に見る，科学者湯浅年子の終戦直後」『化学史研究』**44-1**,（No. 158），2017: 2-20.
川島慶子「ノーベルの夢の体現か？——マリー・キュリーのノーベル賞受賞（シンポジウム「ノーベル賞と産業」）」『化学史研究』**44-3**（No. 160），2017: 22-27.
川島慶子「放射線科学と女性——マリー・キュリーの後継者たち」（科学研究費助成事業による基盤研究（C）報告書，課題番号15K01914, 2015年度－2018年度）.
川島慶子「小野田忠——企業家になったマリー･キュリーの日本人弟子･第二号」『化学史研究』**46-4**（No.169），2019: 163-174.
河盛好蔵『フランス語盛衰記——私の履歴書』日本経済新聞社，1991.
木村尚子「ある女性物理学者が与えた原子核のイメージ——湯浅年子著「女性と原子爆弾」（1946年）を題材に」『女性学年報』**33**, 2012: 28-39.
木村涼子「女性にとっての『立身出世主義』に関する一考察——大衆婦人雑誌『主婦之友』（1917～1940）にみる」『大阪大学教育社会学・教育計画論研究集録』**7**, 1989: 67-83.
黒川祐次『物語 ウクライナの歴史——ヨーロッパ最後の大国』中央公論社，2002.
小林茂『薩摩治郎八——パリ日本館こそわがいのち』ミネルヴァ書房，2010.
小山静子編『男女別学の時代——戦前期中等教育のジェンダー比較』柏書房，2015.
坂井光夫「追悼：湯浅年子氏を悼む」『日本物理学会誌』**35-7**, 1980: 618-619.

Nobuo YAMADA, "Sur les particules de long parcours du polonium," *CRAS*, **180**, 1925: 436-439.

Nobuo YAMADA, "Sur les particules de long parcours émises par le depôt actif du thorium," *CRAS*, **180**, 1925: 1591-1594.

Tosiko YUASA, *Contribution à l'étude du spectre continu des rayons β - émis par les corps radioactifs artificiels*, thèse soutenue en vue de l'obtention du doctorat ès sciences physiques (Paris, Gauthier-Villars), 1944.

Z

Émile ZOLA, *Les trois villes, Paris*, 1898：エミール・ゾラ『パリ』上，下（竹中のぞみ訳）白水社，2010.

青木富貴子『「風と共に去りぬ」のアメリカ――南部と人種問題』岩波書店，1996.

安達正勝『二十世紀を変えた女たち』白水社，2000.

天野郁夫『学歴の社会史――教育と日本の近代』新潮社，1992.

阿武喜美子教授御退官記念会『阿武先生と生物化学研究室の歩み』阿武喜美子先生御退官記念会，昭和 50 年 .

石原あえか「大戦下ベルリンの湯浅年子――パリから大戦下のベルリンへ」『パリティ』**23-8**, 2008: 66-70.

石原あえか「フランスに戻った湯浅年子――国外頭脳流出の先駆け」『パリティ』**23-9**, 2008: 58-62.

伊東孝之，井内敏夫，中井和夫編『ポーランド・ウクライナ・バルト史』山川出版社，1998.

上垣豊『規律と教養のフランス近代――教育史から読み直す』ミネルヴァ書房，2016.

大崎正二『パリ、戦時下の風景』西田書店，1993.

大庭みな子『津田梅子』朝日新聞社，1990.

小川温子「女性科学者のパイオニア、阿武貴美子先生を偲んで」『日本女性科学者の会学術誌』，**11-1**, 2010: 1-3.

奥野久輝「放射能分析の歴史（I）」『分析化学』**16-10**, 1967: 1090-1098.

奥野久輝「放射能分析の歴史（II）」『分析化学』**16-12**, 1967: 1395-1098.

奥野久輝「放射能分析の歴史（III）」『分析化学』**17-2**, 1968: 253-263.

奥野久輝「放射能分析の歴史（IV）」『分析化学』**17-6**, 1968: 790-797.

小倉孝誠『〈女らしさ〉はどう作られたのか』法藏館，1999.

化学史学会編『化学史事典』化学同人，2017.

化学史学会編『化学史への招待』オーム社，2019.

学生書房編『学生の頃』学生書房，昭和 24 年 .

鹿島茂『蕩尽王、パリをゆく――薩摩治郎八伝』新潮社，2011.

and Particle Physics," *Physics in Perspective*, **15**, 2013: 3-32.

Ronald K. SMELTZER, Robert J. RUBEN & Paulette ROSE, *Extraordinary Women in Science & Medicine, Four Centuries of Achievement*(New York, The Grolier Club), 2013.

Souvenirs et documents(Paris, Association Frédéric et Irène Joliot-Curie), s.d.

Brigitte STROHMAIER & Robert ROSNER, *Marietta Blau*(Riverside, California, Ariande Press), 2006.

Rachel SWABY, *Headstrong: 52 Women Who Changed Science-and the World*(Portland, Broadway Books), 2015：レイチェル・スワビー『世界と科学を変えた 52 人の女性たち』（堀越英美訳）青土社，2018.

T

Eva TELKES, "Présentation de la Faculté des sciences et de son personnel à Paris(1901-1939)," *Revue d'histoire des sciences*, **43-4**, 1990: 451-476.

Sharon TRAWEEK, "High-Energy Physics: A Male Preserve," *Technology review*, **87**: 42-43.

Desanka TRBUHOVIĆ-GJURIĆ, *Im Schatten Albert Einsteins*(Bern/Stuttgart/Wien, Haupt), 1993：デサンカ・トルブホヴィッチ＝キュリッチ『二人のアインシュタイン――ミレヴァの愛と生涯』（田村雲供・伊藤典子訳）工作舎，1995.

XXXe Anniversaire de la découvert de la radioactivité artificielle par Frédéric et Irène Joliot-Curie(Paris, Jean Brunissen), 1965.

V

Yves VERNEUIL, "La Société des agrégées, entre féminisme et esprit de catégolie(1920-1948)," *Histoire de l'éducation*, **115-116**, sept., 2007: 195-224.

Yves VERNEUIL, "SCHULHOF Catherine," https://maitron.fr/spip.php?article130799,version mise en ligne le 30 novembre 2010, dernière modification le 25 novembre 2017.

W

Steven WEINBERG, *The Discovery of Subatomic Particles*, Revised Edition, (Cambridge, Cambridge Univ. Press), 2003：スティーブン・ワインバーグ『電子と原子核の発見――20 世紀物理学を築いた人々』（本間三郎訳）筑摩書房，2006.

Y

Nobuo YAMADA, "On the contents of helium and other constituents in Japanese natural gas," *Reports of the Aeronautical Research Institute*, Tokyo Imperial University（『航研雑録』), **1(6)**, oct., 1923: 171-186.

Nobuo YAMADA, "Sur les particules de long parcours émises par le depôt actif du radium," *CRAS*, **181**, 1925: 176-178.

Marelene F. and Geoffrey W. RAYNER-CANHAM, *Harriet Brooks Pioneer Nuclear Scientist* (Montreal/Kingston/London/Buffalo, McGill-Queen's University Press), 1992.

Marelene F. and Geoffrey W. RAYNER-CANHAM, *A Devotion to Their Science, Pioneer Women on Radioactivity* (Philadelphia, Chemical Heritage Foundation; Montreal/Kingston/London/Buffalo, McGill-Queen's University Press), 1997.

Marelene F. and Geoffrey W. RAYNER-CANHAM, *Women in Chemistry* (Philadelphia, CHF), 1998.

Robert William REID, *Marie Curie* (New York, Saturday Review Press), 1974：ロバート・リード『キュリー夫人の素顔』上，下（木村絹子訳）共立出版, 1975.

Hillary RODHAM CLINTON, *What Happened* (New York, Simon & Schuster), 2017：ヒラリー・ロダム・クリントン『WHAT HAPPENED、何が起きたのか？』（髙山祥子訳）光文社, 2018.

Margaret W. ROSSITER, "'But She's an Avowed Communist!' L'Affaire Curie at the American Chemical Society, 1953-1955," *Bulletin for the History of Chemistry*, **20**, 1997: 33-41.

Arthur RUBINSTEIN, *My Many Years* (New York, Knopf), 1980：アルトゥール・ルービンシュタイン『ルービンシュタイン自伝――神に愛されたピアニスト』上，下（木村博江訳）共同通信社, 1983.

S

Françoise SAGAN, *Bonjour tristesse* (Paris, Julliard),1954：フランソワーズ・サガン『悲しみよこんにちは』（朝吹登水子訳), 新潮社, 1955.

Claudine SERRE-MONTEIL, *Les amans de la liberté* (Paris, Calmann Levy), 1999：クローディーヌ・セール＝モンテーユ『世紀の恋人　ボーヴォワールとサルトル』（門田眞知子訳）藤原書店, 2005.

Sévriennes d'hier et d'aujourd'hui, Revue trimestrielle, **mars**, 1957.

Benjamin F. SHEARER and Barbara S. SHEARER ed., *Notable Women in the Phisical Scieinces, A Biographical Dictionary* (Connecticut/London, Westport), 1997.

Henri-Jean SHUBNEL éd., *Histoire naturelle de la radioactivité* (Paris, Muséum nationale d'histoire naturelle), 1996.

Ruth Lewin SIME, *Lise Meitner, A Life in Physics* (Orkland, University of California Press), 1986：R．L．サイム『リーゼ・マイトナー――嵐の時代を生き抜いた女性科学者』（鈴木淑美訳, 米沢富美子監修）シュプリンガー・フェアラーク東京, 2004.

Ruth Lewin SIME, "Marietta Blau: Pioneer of Photographic Nuclear Emulsions

bibliothèque libre).
Claudine MONITEIL, *Ève Curie*(Paris, Odile Jacob), 2016.
Pierre MOULINIER, *La naissance de l'étudiant moderne(XIXe siècle)*(Paris, Belin), 2002.
Pierre MOULINIER, *Les étudiants étrangers à Paris au XIXe siècle*(Renne, Presse Universitaires de Rennes), 2014.
N
Mary Jo NYE, "National Styles? French and English Chemistry in the Nineteenth and Early Twentieth Centuries," *OSIRIS*, **8**, 1993: 30-49.
O
Karen OFFEN, "Definding Feminism: A Comparative Historical Approach," *Signs: Journal of Women in Culture and Society*, **14**, 1988: 119-157.
Marilyn OGILIVE, *Women in Science, Antiquity through the Nineteenth Century* (Cambridge, Mass. & London, The MIT Press), 1986.
Marilyn OGILIVE & Joy HARVEY, *The Biographical Dictionary of Women in Science*(New York & London, Routledge), 2000.
Tadashi ONODA, "Courbe d'ionosation dans l'oxygène pur relative aux rayons alpha du polonium," *Journal de physique et le radium*, **6-9**, **n.3**, jun., 1928: 149-150.
P
Naomi PASACHOFF, *Marie Curie*(Oxford, Oxford University Press), 1996：ナオミ・パサコフ『マリー・キュリー――新しい自然の力の発見／オックスフォード　科学の肖像』(西田美緒子訳) 大月書店, 2007.
Pierre et Marie Curie, catalogue de l'exposition(Paris, Bibliothèque Nationale), 1967.
Natalie PIGEARD-MICAULT, "The Curie's Lab and its Women(1906-1934), Le laboratoire Curie et ses Femmes(1906-1934)," *Annales of Science*, 2012: 1-30.
Natalie PIGEARD-MICAULT, *Les femmes du laboratoire de Marie Curie*(Paris, Édition Glyphe), 2013.
Michel PINAULT, *Frederic Joliot-Curie*(Paris, Odile Jacob), 2000.
Jean-Pierre POIRIER, *Marie Curie et les Conquérants de l'Atome*(Paris, Pygmalion), 2006.
Q
Susan QUINN, *Marie Curie A Life*(New York, Simon & Schuster), 1995：スーザン・クイン『マリー・キュリー』1, 2 (田中京子訳) みすず書房, 1999.
R
Ernest RATHERFORD & Harriet BROOKS, "The New Gas from Radium," *Trans. R. S. C.*, sec. III, 1901: 21-25.

Les dossiers de la recherche, l'héritage Marie Curie, **42**, février, 2011.
Les Joliot-Curie, Deux savants à la Une(Paris, Museé Curie), 2008.
Noelle LORIOT, *Irène Joliot-Curie*(Paris, Presses de la Renaissance), 1991：ノエル・ロリオ『イレーヌ・ジョリオ＝キュリー』（伊藤力司・伊藤道子訳）共同通信社，1994.
Jerzy LUKOWSKI & Hubert ZAWADZKI, *Poland*(Cambridge, Cambridge Univ. Press), 2001：イェジ・ルコフスキ，フベルト・ザヴァツキ『ポーランドの歴史』創土社，2007.
Annette LYKKNES, "Ellen Greditsch: Woman Chemist in IUPAC's Early History," *Chemistry International*, July-September, 2019: 26-27.
Annette LYKKNES & Helge KRAGH, and Lise KVITTINGEN, "Ellen Greditsch: Pioneer Woman in Radiochemistry," *Physics Perspective*, **6**, 2004: 126-155.
Annette LYKKNES & Lise KVITTINGEN, Anne Kristine BØRRESEN, "Appreciated Abroad Depricated at Home, The Career of a Radiochemist in Norway: Ellen Greditsch(1879-1968)," *Isis*, **95**, 2004: 576-609.
Annette LYKKNES & Lise KVITTINGEN, Anne Kristine BØRRESEN, "Ellen Greditsch, Duty and responsibility in a research and teaching career, 1916-1946," *HSPS*, **36**(**1**), 2005: 131-188.
Annette LYKKNES & Brigitte Van TIGGELEN, *Women in their Element*(New Jersey , London et al., World Sceintific), 2019.
M
Pierre MAILLOT, *les fiancés de Marianne*(Paris, Cerf), 1996：ピエール・マイヨー『フランス映画の社会史　マリアンヌのフィアンセたち』（中山裕史・中山信子訳）日本経済評論社，2008.
Anaïs MASSIOT et Natalie PIGEART-MICAULT, *Marie Curie et la grande guerre*(Paris, Édition Glyphe), 2014.
Anaïs MASSIOT et Natalie PIGEART-MICAULT, *Les coulisses des laboratoires d'autrefois*(Paris, Édition Glyphe), 2017.
Stamatis MAVRIDES, "Marie-Antoinette Tonnelat(1912-1980)," *Annales de l'I. H. P.*, sec.A, 38-1, 1983 : 1-6.
Sharon Bertsch McGRAYNE, *Nobel Prize Women in Science*, second edition (Washington, DC, Joseph Henry Press; Secaucus, Carol Publishing Group), 1998.
Margaret MITCHELL, *Gone With the Wind*(New York, Macmillan), 1936：マーガレット・ミッチェル『風と共に去りぬ』（荒このみ訳）岩波書店，1-4 巻，2015, 5,6 巻，2016.
François MITTERAND, Président de la Républic, "Discourse du transfert des cendres de Pierre et Marie Curie au Panthéon," 20 avril 1995, Wikisource(La

ヌ・ジョリオ＝キュリー「わが母マリー・キュリーの思い出」（内山敏訳）『世界ノンフィクション全集／8』（中野好夫他編）筑摩書房，1960.

K

Keiko KAWASHIMA, "Deux savants japonais et la famille Curie, Nobuo Yamada et Toshiko Yuasa," *L'Actualité chimique*, **363**, Mai, 2012: 51-55.

Keiko KAWASHIMA, "Female Scientists Whom Nobuo Yamada Encountered-Early Years of Radio Chemistry and the Radium Institute," Proceedings of the International Workshop on the History of Chemistry, Transformation of Chemistry from the 1920s to the 1960s, http://kagakushi.org/iwhc2015/proceedings

Keiko KAWASHIMA, "Nobuo Yamada and Toshiko Yuasa: Two Japanese Scientist and the Curie Family," *Historia Scientiarum*, **27-1**, 2017: 108-124.

Keiko KAWASHIMA, "Toshiko Yuasa(1909-1980), une Japonaise chercheuse en France, correspondance avec Frédéric Joliot-Curie," *L'Actualité chimique*, **449**, Mars, 2020: 48-54.

Charlotte KERNER, *Lise, Atomphysikerin*(Weinheim/Basel, Beltz Verlag), 1986：シャルロッテ・ケルナー『核分裂を発見した人――リーゼ・マイトナーの生涯』（平野卿子訳）晶文社，1990.

Charlotte KERNER ed., *Nicht Nur Madame Curie*(Weinheim/Basel, Beltz Verlag), 1990 : *Des femmes prix Nobel de Marie Curie à Aung San Suu Kyi*, 1903-1991(trad. Par Nicole Casanova, Paris, des femmes), 1992.

Sally Gregory KOHLSTEDT ed., *History of Women in the Sciences*(Chicago and London, The University of Chicago Press), 1999.

L

Hélène LANGEVIN-JOLIOT, "Toshiko Yuasa: Une Chercheuse de la Tradition des Curie"：エレーヌ・ランジュバン＝ジョリオ「キュリー家の流れを汲む日本の女性研究者 湯浅年子」（高野勢子訳）『ジェンダー研究』**13**, 2010: 67-74.

Pierre LASZLO, "How an Anglo-American Methodology Took Root in France," *Bull. Hist. Chem.*, **36-2**, nov., 2011: 75-81.

Le jardin de Marie Curie(Paris, Musée Curie), 2007.

Maurice LEBLANC, *L'Île aux trente cercueils*, 1919：モーリス・ルブラン『三十棺桶島』（大友徳明訳）偕成社，1983.

Maurice LEBLANC, *La Demoiselle aux yeux verts*, 1927：モーリス・ルブラン『緑の目の令嬢』（大友徳明訳）偕成社，1983.

Maurice LEBLANC, *Le dernier amour d'Arsène Lupin*(Paris, Balland), 2012：モーリス・ルブラン『リュパン、最後の恋』（高野優監訳，池畑奈央子訳）東京創元社，2013.

Laurent LEMIRE, *Marie Curie*(Paris, Perrin), 2001.

H

Carolyn G. HEILBRUN, *Writing A Woman's Life*(New York, Norton), 1988：キャロリン・ハイルブラン『女の書く自伝』（大社淑子訳）みすず書房，1992.

Natacha HENRY, *Les sœurs savants, deaux destins qui ont fait l'histoire*(Paris, Vuibert), 2015.

Klaus HOFFMANN, *Otto Hahn, Schuld und Verantwortung*(Berlin/Heidelberg, Springer-Verlag), 1993：K．ホフマン『オットー・ハーン――科学者の義務と責任とは』（山崎正勝・小長谷大介・栗原岳史共訳）シュプリンガー・ジャパン，2006.

Anna HURWIC, *Pierre Curie*, préface de Pierre-Gilles de Gennes(Paris, Flammarion), 1995.

Renaud HYUNH & Adrien KLAPISZ, "La constitution du patrimoine scientifique du musée Curie," *Revue des patrimoine*, **29**, 2016 : 1-21.

I

Kenji ITO, "Values of 'pure science' : Nishina Yoshio's wartime discourse between nationalism and physics, 1940-1945," *Historia Scientiarum*, **33-1**, 2002: 61-86.

Kenji ITO, "Gender and Physics in Early 20th Century Japan: Yuasa Toshiko's Case," *Historia Scientiarum*, **14-2**, 2004: 118-136.

J

Louis-Pascal JACQUEMOND, "Irène Joliot-Curie, une féministe engagée?" *Genre et histoire*, **11** Automne, 2012(https://journals.openedition.org/genrehistoire/1796).

Louis-Pascal JACQUEMOND, *Irène Joliot-Curie, biographie*(Paris, Odile Jacob), 2014.

Jean JACQUES, "Bianka Tchoubar(1910-1990)," *New Journal of Chamietry*, **16, 1-2**, 1992: 7-10.

Rose Agnès JACQUESY, André LOUPY, et Michelle GRUSELLE, "Bianka Tchoubar, la révolution des mécanismes," *L'Actualité chimique*, **397-398**, Juin-Juillet, 2015: 8-10.

Frédéric JOLIOT-CURIE, *Textes choisis de Frédéric Joliot-Curie*(Paris, Éditions sociales), 1959：フレデリック・ジョリオ＝キュリー『ジョリオ＝キュリー遺稿集』（湯浅年子訳）法政大学出版局，1961.

Frédéric JOLIOT et Tadashi ONODA, "Courbe d'ionosation dans l'hydrogène pur relative aux rayons alpha du polonium," *Journal de physique et le radium*, **6-9, n.3**, mai 1928: 173-179.

Frédéric et Irène JOLIOT-CURIE, *Œuvres scientifiques complètes*(Paris Puf), 1961.

Irène JOLIOT-CURIE, "Ma mère Merie Curie," *Europe*, **108**, 1954 : 89-121：イレー

D

J. L. DAVIS, "The Research School of Marie Curie in the Paris Faculty, 1907-14," *Annales of Science*, **52**, 1995: 321-355.

Jacques DEROUARD, *Arsène Lupin malgré lui* (Paris, Edition Séguier), 2001：ジャック・ドゥルワール『いやいやながらルパンを生み出した作家、モーリス・ルブラン伝』（小林佐江子訳）国書刊行会，2019.

Sarah DRY, *Curie* (London, Haus Publishing), 2003：セアラ・ドライ『科学者キュリー』（増田珠子訳）青土社，2005.

E

Anne EDWARDS, *The Road to Tara, Life of Margaret Mitchell* (London, Hodder & Stoughton), 1983：アン・エドワーズ『タラへの道――マーガレット・ミッチェルの生涯』（大久保康雄訳）文藝春秋，1986.

Albert EINSTEIN, *Out of My Later Years* (New York, Thames & Hudson), 1950：アルバート・アインシュタイン『晩年に想う』（中村誠太郎他訳）講談社，昭和46年.

Albert EINSTEIN：アルバート・アインシュタイン『アインシュタイン　日本で相対論を語る』（杉元賢治監訳，佐藤文隆解説）講談社，2001.

Shelley EMLING, *Marie Curie and Her Daughters* (New York, Palgrave Macmillan), 2012.

F

Anne FELLINGER, "Women radio-chemists facing radioactive risks in France," *The Global and the Local: The History of Science and the Cultural Intergation of Europe*, Proceeding of the 2nd ICESHS, 2006: 534-539.

Anne FELLINGER, "Femmes, risque et radioactivité en France," *La Découverte/Travail, genre et société*, **23**, 2010: 147-165.

Ulla FÖLSING, *Nobel-Frauen* (München, C.H. Beck Verlagsbuchhandlung), 1991：ウラ・フェルシング『ノーベル・フラウエン――素顔の女性科学者』（田沢仁・松本友孝訳）学会出版センター，1996.

G

Françoise GIROUD, *Une femme honorable* (Paris, Fayard), 1981, nouvelle éd., 1991：フランソワーズ・ジルー『マリー・キュリー』（山口昌子訳）新潮社，1984.

Barbara GOLDSMITH, *Obsessive Genius, The Inner World of Marie Curie* (New York, Norton), 2005：B・ゴールドスミス『マリー・キュリー――フラスコの中の光と闇』（竹内喜訳，小川真理子監修）WAVE出版，2007.

Lucienne GOSSE, *Chronique d'une française. René Gosse, 1883-1943* (Paris, Plon), 1962.

Irène CURIE, Nobuo YAMADA, “Sur la distribution de longueur des rayons α du polonium dans l'oxygène et dans l'azote,” *Comptes rendus des séances de l'Académie des sciences*(*CRAS*), **179**, 1924: 761-763.

Irène CURIE, Nobuo YAMADA, “Sur les particules de long parcours émises par le polonium,” *CRAS*, **180**, 1925: 1487-1489.

Irène CURIE, Nobuo YAMADA, “Etudes des particules α de long parcours émises par divers corps radioactifs,” *Journal de Physique et Le Radium*, **6**, 1925: 376-380.

Irène CURIE & Frédéric JOLIOT, “Un nouveau type de radioactivité,” *CRAS*, **198**, 1934: 254-6.

Marie CURIE, “Rayons émis par les composés de l'uranium et du thorium,” *CRAS*, **126**, 1898: 1101-1103.

Marie CURIE, “Sur le poids atomique du radium,” *CRAS*, **135**, 1902: 161-163.

Marie CURIE, “Sur le poids atomique du radium,” *CRAS*, **145**, 1907: 422-425.

Marie CURIE, “Sur le poids atomique du radium,” *Radium*, **4-10**, 1907: 349-352.

Marie CURIE, *Autobiographical Notes*, Translated by Charlotte Kellogg and Vernon Kellogg(New York, Macmillan), 1923：マリー・キュリー「自伝」（木村彰一訳）『世界ノンフィクション全集／８』（中野好夫他編）筑摩書房，1960.

Marie CURIE, *Pierre Curie*(Paris, Payot), 1924：マリー・キュリー『ピエール・キュリー伝』（渡辺慧訳）白水社，1942（本書の引用には 1959 年版を使用）；マリー・キュリー『ピエール・キュリー傳』（湯浅年子訳）潮流社，1948.

Marie CURIE, *Radioactivité*(Paris, Hermann), 1935：マリー・キュリー『放射能』（皆川理他訳）白水社，1942.

Marie CURIE, *Leçons de Marie Curie, Recueille par Isabelle Chavannes en 1907* (Paris, EDP Science), 2003：マリー・キュリー『キュリー夫人の理科教室』（岡田勲・渡辺正共訳，吉祥瑞枝監修）丸善株式会社，2004.

Marie & Irène CURIE, *Correspondance*(1905-1934)(Paris, Français Reunis), 1974：マリー＆イレーヌ・キュリー『母と娘の手紙』（西川祐子訳）人文書院，1975.

Marie CURIE et ses filles, *Lettres*(Paris, Pygmalion), 2011.

Pierre CURIE, *Œuvres de Pierre Curie*(Paris, Gautier-Villars), 1908.

Pierre CURIE, Karin BLAND éd., *Correspondances*(Saint-Rémy-en-l'Eau, Monelle Hayot), 2009.

Pierre CURIE & Marie CURIE, “Sur une nouvelle substance radioactive, contenue dans la pechblende,” *CRAS*, **127**, 1898: 175-178.

Pierre CURIE, Marie CURIE & Gustave BÉMONT, “Sur une nouvelle substance fortement radio-active contenue dans la pechblende,” *CRAS*, **127**, 1898: 1215-1217.

な方程式の「伝記」』（伊藤文英他訳）早川書房，2010.
Gérard BONAL, *Gérard Philipe*(Paris, Seuil), 1994：ジェラール・ボナル『ジェラール・フィリップ　伝記』（堀茂樹訳）筑摩書房，1996.
Soraya BOUDIA, "The Curie Laboratory: Radioactivity and Metrology," *History and Technology*, **13-4**, 1997: 249-265.
Soraya BOUDIA, *Marie Curie et son laboratoire*(Paris, EAC), 2001.
Soraya BOUDIA, "Marie Curie and women in science," *Chemistry Intern.*, **33**(**1**), 2011: 12-15.
Marchall BRUCER, "Elisabeth Rona(1891?-1981)," *The Journal of Nuclear Medicine*, **23-1**, 1982: 78-79.
Nina BYERS & Gary WILLIAMS, *Out of the Shadows: Contributions of Twentieth-Century Women to Physics*(Cambridge, New York *et.al.*, Cambridge Univ. Press), 2010.
C
Chemistry International, Marie Skłodowska Curie, A Special Issue commemorating the 100th Anniversary of Her Nobel Prize in Chemistry, **33-1**, 2011.
M.-H. CHIU, P. J. GILMER and D. F. TREAGUST eds., *Celebrating the 100th Annivrsry of Madame Marie Sklodowska Curie's Nonbel Prize in Chemistry*(Rotterdam, Sense Publishers), 2011.
Carole CHRISTEN-LÉCUYER, "Les premières étudiantes de l'Université de Paris," *Travail, Genre et Société*, **4**, Oct., 2000: 35-50.
Cinquantenaire du premier cours de Marie Curie à la Sorbonne, Grand amphithéatre de la Sorbonne, 12 janvier 1957(Cahors, A. Coueslant), 1957.
Claudia CLARK, *Radium Girls, Women and Indusrial Health Reform, 1910-1935* (Chapel Hill & London, Univ. of North Carolina Press), 1997.
COLLETE, *Chéri*, 1920：コレット『シェリ』（工藤庸子訳）岩波書店，1994.
COLLETE, *La fin de Chéri*, 1926：コレット『シェリの最後』（工藤庸子訳）岩波書店，1994.
Jean COSSET & Renaud HUYNH, *La fantastique histoire du radium*(Renne, Edition Ouest-France), 2011.
Pierre COSTABEL, "Marie-Antoinette Tonnelat(1912-1980)," *Revue d'histoire des sciences*, **36, 3-4**, 1983: 329-331.
Eugénie COTTON, *Les Curies*(Paris, Seghers), 1963：ウージェニィ・コットン『キュリー家の人々』（杉捷夫訳）岩波書店，1964.
Ève CURIE, *Madame Curie*(Paris, Gallimard), 1938：エーヴ・キュリー『キュリー夫人傳』（川口篤・河盛好蔵・杉捷夫・本田喜代治共訳）白水社，昭和 13 年；《新装版》『キュリー夫人伝』白水社，1988；《新訳》（河野万里子訳）白水社，2006.

参考文献

A

Jean-Pierre ADOLF & George B. KAUFFMANN, "Francium(Atomic Number 87), the Last Discovered Natural Element," *The Chemical Educator*, **10-5**, 2005: 387-394.

Jean-Pierre ADOLF & George B. KAUFFMANN, "Triumph over Prejudice: The Election of Radiochemist Marguerite Perey(1909-1975) to the French Académie des Sciences," *The Chemical Educator*, **10-5**, 2005: 395-399.

Jan APOTHEKER & Livia SIMON SARKADI ed., *European Women in Chemistry*(Weinheim, WILEY-VCH), 2011.

Archives du Musée Curie, AIR LC.MC 1183, 1311, 1316, 1317, 1319, 1361, 1370, 1382, 1388, 1422, 1444.

Archives du Musée Curie, Bibliothèque Nationale de France, NAF 28161, FP-ACJC, boîte 68.

Archives du Musée Curie, FP-ACJC / C2 Témoignage écrits sur FJC de Toshiko YUASA(vers 1966).

Michèle AUDIN, "En homage à Henri Cartan," *SMF Gazette*, **122**, octobre, 2009: 45-51.

B

Balade parisienne avec Pierre et Marie Curie(Paris, Museé Curie), 2008.

Alain BELTRAN & Patrice A. CARRÉ, *La fée et la servante - La société française face à l'électricité XIXe-XXe siècle*(Paris, Belin), 1991：A. ベルトラン，P. A. カレ『電気の精とパリ』（松本栄寿・小浜清子訳）玉川大学出版局，1999.

André BERTHELOT, *De l'atome à l'energie nucléaire*, préface de F. JOLIOT-CURIE(Paris, Corrêa), 1947.

Pierre BIQUARD, *Frédéric Joliot-Curie*(Paris, Seghers), 1961 ; rééd. (Paris, Harmattan), 2003：ピエール・ビカール『F・ジョリオ＝キュリー』（湯浅年子訳）河出書房，1970.

Beverly BIRCH, *Marie Curie*(Watford, EXLEY Publication), 1988：ビバリー・バーチ『キュリー夫人／伝記　世界を変えた人々 1』（乾侑美子訳）偕成社，1991.

Karin BLANC, *Marie Curie et le Nobel*, préface de Nanny Fröman(Paris, Blanchard), 1999.

David BODANIS, *$E=mc^2$, A biography of the World's Most Famous Equation* (New York, Doubleday), 2000：デヴィッド・ボダニス『$E=mc^2$ 世界一有名

レーナルト，フィリップ（Philipp Eduard Anton von Lenard，1862-1947）68，69
レズリー，メイ・シビル（ハミルトン・ブル夫人）(May Sybil Leslie Hamilton-Burr，1887-1937）47-51，53，101，148，149，155，226
レントゲン，ヴィルヘルム（Wilhelm Conrad Röntgen，1845-1923）33-35，40，67，68
ロナ，エリザベト（Erzsébet(Elizabeth)Róna，1890-1981）52，133-137，206

【わ行】

ワムバッハ、ヘルタ（Hertha Wambacher，1903-1950）138

【ま行】

マイトナー，リーゼ（Lise Meitner，1878-1968）202-205，230
マイヤー，ステファン（Stefan Meyer，1872-1949）136，223
マルケス，ブランカ・エドメ（トレス夫人）(Branca Edmée Marques Torres，1899-1986）140，143-145
ミッチェル，マーガレット（Margaret Munnerlyn Mitchell，1900-1949）116-119，212
メロニー，ミッシー（Marie Mattingly Meloney，1878-1943）108-110，113，115
メンデレーエフ，ドミトリー（Dmitrij Ivanovich Mendelejev，1834-1907）36
モーガン，トーマス（Thomas Hunt Morgan，1866-1945）180
モナン，マドレーヌ（モリニエ夫人）(Madeleine Monin Molinier，1898-1976）76-78，81
森鷗外（1862-1922）164，185-187，189

【や行】

保井コノ（1880-1971）180，195，196，198
山田延男（1896-1927）88，123，164-174，176，179，182-184，189，196，224，225，232
湯浅年子（1909-1980）46，59，89，90，92-94，96，100，123-128，130，159-161，175-201，210，211，215，224，225，229，230
与謝野晶子（1878-1942）164
吉田兼好（1283 ごろ -1352 以降）220，221

【ら行】

ラゴー，ルイ（Louis Ragot，生没年不明）74
ラザフォード，アーネスト（Ernest Rutherford，1871-1937）48，50，53-55，57-63，65，67，69-71，104，105，157，158，160，210，226，230，231
ラシルド（Rachilde(Marguerite Vallette-Eymery)，1860-1953）154
ラゼ，レオニ（旧姓ペトリ）（Léonie Pétri Razet，1884-1950）79，131，168
ラムステッド，エヴァ（Eva Julia Ramstedt，1879-1974）47，49，50，51，53
ランゲル，マーガレット・フォン（アンドロニコフ夫人）(Margaret von Wangell Andronikov，1876-1932）64-66，101
ランジュヴァン，ポール（Paul Langevin，1872-1946）7，16，100，108，132，133，151，181，213
ルービンシュタイン，アルトゥール（Arthur Rubinstein，1887-1982）217，218
ルゴー，クローディウス（Claudius Regaud，1870-1940）15
ルブラン，ジョルジェット（Georgette Leblanc，1869-1941）154
ルブラン，マルト（ルナール夫人）（Marthe Leblanc Renard，1904-1967 以降）156
ルブラン，モーリス（Maurice Marie Émile Leblanc，1864-1941）150-154，156

パデレフスキ，イグナツィ（Ignacy Jan Paderewski, 1860-1941）213
樋口一葉（1872-1896）164
ヒットラー，アドルフ（Adolf Hitler, 1889-1945）109, 203
ヒットルフ，ヴィルヘルム（Johann Wilhelm Hittorf, 1824-1914）32
フィリップ，ジェラール（Gérard Philipe, 1922-1959）214
フェルミ，エンリコ（Enrico Fermi, 1901-1954）202, 206
藤田嗣治（1886-1968）122
ブラオ，マリエッタ（Marietta Blau, 1894-1970）133-139, 223
ブランキエ，リュシー（Lucie Blanquiès, 1883-1957 以降）48, 63
プランク，マックス（Max Planck, 1858-1947）105
ブランシュヴィック，アドリエンヌ（Adrienne Brunchvicg Weill, 1903-1979）
145, 146
ブランリー，エデュアール（Édouard Branly, 1844-1940）151
フリッシュ，オットー・ロベルト（Otto Robert Frisch, 1904-1979）204, 205
プリュッカー，ユリウス（Julius Plcker, 1801-1868）32
プルースト，マルセル（Marcel Proust, 1871-1922）29
ブルックス，ハリエット（ピッチャー夫人）(Harriet Brooks Pitcher, 1876-1933)
47, 53-57, 59-63, 69-71, 101, 104, 113, 116, 145, 149, 210, 226, 228,
230, 231
ブロンテ，アン（Anne Bronte, 1820-1849）142
ブロンテ，エミリー（Emilie Bronte, 1818-1848）142
ブロンテ，シャーロット（Charlotte Bronte, 1816-1855）142
ベクレル，アンリ（Henri Becquerel, 1852-1908）12, 32, 34, 40, 49, 70, 128,
193
ベモン，ギュスターヴ（Gustave Bémont, 1857-1932）39
ペラン，ジャン（Jean Perrin, 1870-1942）27, 28, 68, 98, 131
ヘルツ，ハインリヒ（Heinrich Rudolf Hertz, 1857-1894）67
ベルトロ，マルスラン（Marcellin Berthelot, 1827-1907）72
ベルナール，サラ（Sarah Bernhardt, 1844-1923）122
ペレー，マルグリット（Marguerite Catherine Perey, 1909-1975）103, 123,
129-133, 139, 154, 230
ポアンカレ，アンリ（Jules-Henri Poincaré, 1854-1912）34
ボーア，ニールス（Niels Henrik David Bohr, 1885-1962）8, 105, 158, 189
ボーテ，ワルター（Walther Wilhelm Georg Bothe, 1891-1957）158-160
ボーデンシュタイン，マックス（Max Bodenstein, 1871-1942）168, 170
ホフマン，ロアルド（Roald Hoffmann, 1937-）127
ホルヴェック，ランディ（Randi Holwech, 1890-1967）97
ボルトウッド，バートラム（Bertram Borden Boltwood, 1870-1927）49, 51, 57,
58, 226, 230

ジョリオ，フレデリック（ジョリオ＝キュリー）(Frédéric Joliot-Curie, 1900-1958）78, 89, 92, 93, 123, 125, 131, 132, 136, 137, 157-161, 169, 170, 172, 178, 181-183, 188-202, 205, 214, 215, 221, 224, 230, 232
シラード，レオ（Leo Szilard, 1898-1964）205
シリング，ハンス（Hans Thirring, 1888-1976）139
スキャパレリ，エルザ（Elsa Schiaparelli, 1890-1973）215
スクヴァール，アリス（Alice Scouvart, 1885-1932）63, 64
ストーニー，ジョージ・ジョンストン（George Johnstone Stoney, 1826-1911）70
セイビン，フローレンス（Florence Rena Sabin, 1871-1953）114
セヴリーヌ（Séverine(Caroline Rémy de Guebhard), 1855-1929）154
ソディ，フレデリック（Frederick Soddy, 1877-1956）71, 157

【た行】

橘守部（1781-1849）200
チャドウィック，ジェームズ（James Chadwick, 1891-1974）160, 202, 230
チューバ，ビアンカ（Bianka(Bianca)Tchoubar, 1910-1990）127, 128
津田梅子（1864-1929）112, 114, 180
デカルト，ルネ（René Descartes, 1596-1650）106
デディシェン，ソニア（ハンネボルグ夫人）(Sonja Dedichen Hanneborg, 1902-1998）97, 148, 149, 155
トーマス，マーサ・ケアリー（Martha Carey Thomas, 1857-1935）114, 115
ドビエルヌ，アンドレ（André-Louis Debierne, 1874-1949）39, 59, 97-103, 130, 133, 144, 155, 190, 216, 230
トムソン，ジョゼフ・ジョン（Joseph John Thomson, 1856-1940）68, 69, 104, 105
ドラビアルスカ，アリシア（Alicja Dorabialska, 1897-1975）140-142
トルーマン，ハリー（Harry S. Truman, 1884-1972）206
ドルスカ、ブローニャ（旧姓スクォドフスカ）(Bronisława Skłodowska Dłuska, 1865-1939）10, 26, 147, 148, 232

【な行】

長岡半太郎（1865-1950）105
仁科芳雄（1890-1951）189, 190
ニュートン，アイザック（Isaac Newton, 1643-1727）106
ノーベル，アルフレッド（Alfred Nobel, 1833-1896）40

【は行】

バード，イザベラ（Isabella Lucy Bird, 1831-1904）142
ハーン，オットー（Otto Hahn, 1879-1968）135, 202, 204, 205, 207, 230
パウエル，セシル（Cecil Frank Powell, 1903-1969）138

キュリー，モーリス（Maurice Curie，1888-1975）74
クラン，マルト（ヴェイス夫人）(Marthe Klein Weiss，1885-1953）79，80
クリントン，ヒラリー（Hillary Clinton，1947-）112
グレディッチ，エレン（Ellen Gleditsch，1879-1968）46-49，51-53，57，58，60，61，63，64，66，87，96，97，134，135，137，141，148，149，156，226，227，229，230
グレフュール伯爵夫人（Élisabeth，Countess Greffulhe，1860-1952）29，74
黒田チカ（1884-1968）173，180
ゲッツ，イレン（ディーネス夫人）(Irén Götz Dienes，1889-1941）64，101
ゴーリキー，マクシム（Maxim Gorky，1868-1936）57
ド・ゴール，シャルル（Charles de Gaulle，1890-1970）211
ゴッス，リュシエンヌ（旧姓ファバン）(Lucienne Fabin Gosse，1883-1975）28，30，149
ゴッス，ルネ（René Gosse，1883-1943）30
コットン，ウージェニィ（旧姓フェイティス）(Eugénie Faytis Cotton，1881-1967）18，21，25-28，30，31，44，52，63，80，81，87，91，225
コテル，ソニア（旧姓スォボドキン）(Sonia Slobodkine Cotelle，1896-1945）94-96，124，125，131，132，148
コルヴェゼ，アントニナ・エリザベト（Antonia Elisabeth Korvezee，1899-1978）140，142，143
ゴルトシュタイン，オイゲン（Eugen Goldstein，1850-1930）32
コレット（Colette(Sidonie-Gabrielle Colette)，1873-1954）154

【さ行】

サガン，フランソワーズ（Françoise Sagan，1935-2004）90
薩摩治郎八（1901-1976）184，187，191，201
シャネル，ココ（Coco Chanel，出生名 Gabrielle Chasnel，1883-1971）99
シャミエ，カトリーヌ（Catherine Chamié，1888-1950）123-128，155，172，210，213，215，216
十文字こと（1870-1955）173，175
十文字大元（1868-1924）169，170，173，175
シュスター，アーサー（Franz Arthur Friedrich Schuster，1851-1934）68
シュトラースマン，フリッツ（Friedrich Wilhelm "Fritz" Straßmann，1902-1980）202，204，205
シュミット，カール（Gerhard Carl Schmidt，1865-1949）36
シュミット，ヤドヴィガ（ツェルニシェヴ夫人）(Jadwiga Szmidt Tshernyshev，1889-1940）64，65，84
シュルホフ，カトリーヌ（Catherine Schulhof，1885-1960）30，31
シュレディンガー，エルヴィン（Erwin Rudolf Josef Alexander Schrödinger，1887-1961）138，139

人名索引

＊既婚女性は、有名な方の苗字で採った。例：ハリエット・ブルックス・ピッチャーは「ブルックス」など。
＊マリー・キュリーは、コラム以外はほぼすべてのページに名前が出てくるので、記載していない。

【あ行】
アインシュタイン，アルベルト（Albert Einstein，1879-1955）8，137，186，199，204，206，216
阿武喜美子（1910-2009）198，199
ヴィーユ，シュザンヌ（Suzanne Veil，1886-1956）63，64，66，80，83
エアトン，ハーサ（Hertha Ayrton，1854-1923）61，197
エッフェル，ギュスターヴ（Gustave Eiffel，1832-1923）76
オッペンハイマー，ロバート（Robert Oppenheimer，1904-1967）206
小野田忠（1894-1982）79，123，147，164-176，179，180，182-184，189，196，203，224，225，232
オノラ，アンドレ（André Honnorat，1868-1950）191，192，194

【か行】
ガイガー，ハンス（Hans Geiger，1882-1945）104
片岡美智（1907-2012）184，188
片山正夫（1877-1961）167，168，189
カルタン・アンナ（Anna Cartin，1878-1923）27，30
北里柴三郎（1853-1931）189
キュリー，イレーヌ（ジョリオ＝キュリー夫人）(Irène Joliot-Curie，1897-1956）18，20，25，27，59，76，78，79，81-84，86-93，95，96，99，100，102，114，122，123，130-135，137，141，157-161，165，166，169，170，172，178，179，181-183，190，194，202，203，205，210，211，213，214，216，218，221，223，227-230，234
キュリー，ウジェーヌ（Eugène Curie，1827-1910）13，26，98，211
キュリー，エーヴ（ラブイス夫人）(Eve Curie Labouisse，1904-2007）80，86，87，99，100，103，111，114，124，175，176，184，210-221，223，227，231
キュリー，ジャック（Jacques Curie，1855-1941）35
キュリー，ピエール（Pierre Curie，1859-1906）7，11-16，20，24-26，28-30，35，37-40，44，45，47，54，56，58，67，68，70，71，74，79，81，86，92-94，98，99，101，109，122，128，132，133，143，146-148，151，152，156，159，164，193，196，197，199，211，212，221，225，230-233

著者紹介

川島　慶子（かわしま けいこ）

1959年神戸市生まれ．科学史研究者，名古屋工業大学工学研究科教授．京都大学理学部地球物理学科卒業．東京大学理学系大学院在学中に1989年より２年間，パリの高等社会科学学院に留学．18世紀から20世紀フランスの科学史をジェンダーの視点から読み直す研究を行い，国際的にも注目されている．2006年に女性史青山なを賞，2010年には山崎賞を受賞．

自身のホームページでは科学史マンガも掲載している．

https://www.ne.jp/asahi/kaeru/kawashima/index.html

著書　『エミリー・デュ・シャトレとマリー・ラヴワジエ――18世紀フランスのジェンダーと科学』（東京大学出版会，2005）．『マリー・キュリーの挑戦――科学・ジェンダー・戦争』（トランスビュー，2010，改訂版2016）．*Émilie du Châtelet et Marie-Anne Lavoisier, Science et genre au XVIIIe siècle,* avec un avant propos d'Élisabeth Badinter（Paris, Honoré Champion, 2013）ほか多数．
訳書　エヴリン・フォックス・ケラー『ジェンダーと科学』幾島幸子と共訳（工作舎，1993）．ロアルド・ホフマン『これはあなたのもの――1943―ウクライナ』（アートデイズ，2017）ほか．

本書は，日本学術振興会による科学研究費助成事業（学術研究助成基金助成金）（基盤研究 (C)：15K01914, 20K00270）の助成を受けた研究である．

拝啓キュリー先生
　マリー・キュリーとラジウム研究所の女性たち

2021年 4 月 8 日　第 1 刷発行
定価：本体2200円＋税

著　者　川島慶子
発行者　佐久間光恵
発行所　株式会社 ドメス出版
東京都文京区白山3-2-4 〒112-0001
振替　0180-2-48766
電話　03-3811-5615
FAX　03-3811-5635
http://www.domesu.co.jp

印刷・製本　株式会社 太平印刷社

ISBN 978-4-8107-0857-8 C0023

女性科学者に明るい未来をの会編　女性科学者に一条の光を　猿橋賞30年の軌跡　二〇〇〇円

太田　敏子　いのちの科学を紡いで　薬剤耐性菌の化学・タンパク質化学・微生物のゲノム科学・宇宙医学への道のり　二〇〇〇円

E.M.ダウティー著　住田和子・鈴木哲也共訳　レイク・プラシッドに輝く星　アメリカ最初の女性化学者エレン・リチャーズ　二四〇〇円

竹中　はる子　日本女子大学における理科の変遷　物理教室の理学部成立までの道のり　二四〇〇円

伊藤　セツ　女性研究者のエンパワーメント　二〇〇〇円

＊表示価格は、すべて本体価格です。